城南旧事

新版

林海音 著
沈继光 摄影

生活·讀書·新知 三联书店 生活書店出版有限公司

图书在版编目（CIP）数据

城南旧事：新版 / 林海音著；沈继光摄影．—北京：生活书店出版有限公司，2018.8
ISBN 978-7-80768-244-8

Ⅰ．①城… Ⅱ．①林… ②沈… Ⅲ．①短篇小说－小说集－中国－当代 Ⅳ．①I247.7

中国版本图书馆 CIP 数据核字（2018）第 102163 号

策 划 人 李 昕 邝 芮
责任编辑 苏 毅
封面设计 陶 雷
责任印制 常宁强

出版发行 生活書店出版有限公司
（北京市东城区美术馆东街22号）
邮　　编 100010
经　　销 新华书店
印　　刷 北京顶佳世纪印刷有限公司
版　　次 2018年8月北京第1版
2018年8月北京第1次印刷
开　　本 787毫米×1092毫米 1/32 印张9.25
字　　数 170千字 图170幅
印　　数 0,001—5,000册
定　　价 45.00元
（印装查询：010-64059389；邮购查询：010-84010542）

目　录

“长空雪乱飘，改尽江山旧。”（摄于故宫西华门）

冬阳·童年·骆驼队

骆驼队来了，停在我家的门前。

它们排列成一长串，沉默地站着，等候人们的安排。天气又干又冷。拉骆驼的摘下了他的毡帽，秃瓢儿上冒着热气，是一股白色的烟，融入干冷的大气中。

爸爸在和他讲价钱。双峰的驼背上，每匹都驮着两麻袋煤。我在想，麻袋里面是“南山高末”呢？还是“乌金墨玉”？我常常看见顺城街煤栈的白墙上，写着这样几个大黑字。但是拉骆驼的说，他们从门头沟来，他们和骆驼，是一步一步走来的。

另外一个拉骆驼的，在招呼骆驼们吃草料。它们把前脚一屈，屁股一撅，就跪了下来。

爸爸已经和他们讲好价钱了。人在卸煤，骆驼在吃草。

我站在骆驼的面前，看它们吃草料咀嚼的样子：那样丑的脸，那样长的牙，那样安静的态度，它们咀嚼的时候，上牙和下牙交错地磨来磨去，大鼻孔里冒着热气，白沫子沾满在胡须上。我看得呆了，自己的牙齿也动起来。

老师教给我，要学骆驼，沉得住气的动物。看它从不着急，慢慢地走，慢慢地嚼；总会走到的，总会吃饱的。也许它们天生是该慢慢的，偶然躲避车子跑两步，姿势很难看。

骆驼队伍过来时，你会知道，打头儿的那一匹，长脖子底下总会系着一个铃铛，走起来，“铛、铛、铛”的响。

“为什么要一个铃铛？”我不懂的事就要问一问。

爸爸告诉我，骆驼很怕狼，因为狼会咬它们，所以人类给它们戴上了铃铛，狼听见铃铛的声音，知道那是有人类在保护着，就不敢侵犯了。

我的幼稚心灵中却充满了和大人不同的想法，我对爸爸说：

“不是的，爸！它们软软的脚掌走在软软的沙漠上，没有一点点声音，你不是说，它们走上三天三夜都不喝一口水，只是不声不响地咀嚼着从胃里倒出来的食物吗？一定是拉骆驼的人类，耐不住那长途寂寞的旅程，所以才给骆驼戴上了铃铛，增加一些行路的情趣。”

爸爸想了想，笑笑说：

“也许，你的想法更美些。”

从鼓楼望钟楼　钟楼，（元）至元九年（一二七二年）始建，“阁四阿，檐三重，悬钟于上，声远愈闻之。”后毁于火。（清）乾隆十年（一七四五年）重建，全部以砖石筑成，通高47.95米。每日黄昏鸣钟108响，随后起更，翌日清晨再鸣钟一次（摄于地安门鼓楼下）

钟楼和胡同一起，才有了钟楼的意义　“越钟鼓楼而西曰钟库胡同，曰小铃铛胡同，曰铃铛胡同，曰牛圈，曰汤平胡同，《顺天府志》作汤锅胡同。”（摄于汤锅胡同〔汤公胡同〕）

清绝广化寺 创建于元代，清宣统元年，曾在寺院内筹建京师图书馆。现为北京市佛教协会所在地。题名“清绝”，更多是对它的赋予，对它的感受，又加上那天雪衣寺院（摄于北海北沿鸦儿胡同）

孤树百姓家 “我念着国文上的那课叫作《下雪》的：一片一片又一片，两片三片四五片，六片七片八九片，飞入芦花都不见。”——林海音《城南旧事》（摄于北海北沿鸦儿胡同）

冬天快过完了，春天就要来，太阳特别的暖和，暖得让人想把棉袄脱下来。可不是么？骆驼也脱掉它的旧驼绒袍子啦！它的毛皮一大块一大块地从身上掉下来，垂在肚皮底下。我真想拿把剪刀替它们剪一剪，因为太不整齐了。拉骆驼的人也一样，他们身上那件反穿大羊皮，也都脱下来了，搭在骆驼背的小峰上，麻袋空了，“乌金墨玉”都卖了，铃铛在轻松的步伐里响得更清脆。

夏天来了，再不见骆驼的影子，我又问妈：

“夏天它们到哪里去？”

“谁？”

“骆驼呀！”

妈妈回答不上来了，她说：

“总是问，总是问，你这孩子！”

夏天过去，秋天过去，冬天又来了，骆驼队又来了，但是童年却一去不还。冬阳底下学骆驼咀嚼的傻事，我也不会再做了。

可是，我是多么想念童年住在北京城南的那些景色和人物啊！我对自己说，把它们写下来吧，让实际的童年过去，心灵的童年永存下来。

就这样，我写了一本《城南旧事》。

我默默地想，慢慢地写。看见冬阳下的骆驼队走过来，听见缓慢悦耳的铃声，童年重临于我的心头。

寒枝古干，瑞雪老屋（摄于后红井胡同）

青堂瓦舍百姓家（摄于崇文花市）

惠安馆

一

太阳从大玻璃窗透进来，照到大白纸糊的墙上，照到三屉桌上，照到我的小床上来了。我醒了，还躺在床上，看那道太阳光里飞舞着的许多小小的、小小的尘埃。宋妈过来掸窗台，掸桌子，随着鸡毛掸子的舞动，那道阳光里的尘埃加多了，飞舞得更热闹了，我赶忙拉起被来蒙住脸，是怕尘埃把我呛得咳嗽。

宋妈的鸡毛掸子轮到来掸我的小床了，小床上的棱棱角角她都掸到了，掸子把儿碰在床栏上，格格地响，我想骂她，但她倒先说话了：

"还没睡够哪！"说着，她把我的被大掀开来，我穿着绒裤褂的身体整个露在被外，立刻就打了两个喷嚏。她强迫我起来，给我穿衣服。印花斜纹布的棉袄棉裤，都是新做的；棉裤筒多可笑，可以直立放在那里，就知道那棉花够多厚了。

妈正坐在炉子边梳头，倾着身子，一大把头发从后脖子顺过来，她就用篦子篦呀篦呀的，炉子上是一瓶玫瑰色的发油，天气冷，油凝住了，总要放在炉子上化一化才能搽。

窗外很明亮，干秃的树枝上落着几只不怕冷的小鸟。我在想，什么时候那树上才能长满叶子呢？这是我们在北京过的第一个冬天。

有大树的会馆院落 “窗外很明亮，干秃的树枝上落着几只不怕冷的小鸟。我在想，什么时候那树上才能长满叶子呢？这是我们在北京过的第一个冬天。”——林海音《城南旧事》。冬天刚过，春天来了，有了最初暖绿的叶子。英子，别急，再过些天，树就长满叶子，花荫凉会洒得满庭满院（摄于椿树南柳巷胡同路东）

院门口 厚厚的门框门板，没有了棱角和漆色，门墩呢，方直被剥蚀成圆浑，外表雕饰的花叶还能依稀辨出。门口，挺干净，也挺阔绰，老祖宗似的槐树，像撑天的伞，罩着这院，罩着这半个胡同。您不用往上看，就看下面的粗干老根就明白了。老北京人，离不了这大树，忘不了这大树，因为它上百年默默地护着你，伴着你，无言地爱着你，直至你的儿孙们（摄于西旧帘子胡同）

说不尽的台阶，看不尽的门墩 “不就是台阶和门墩嘛，几十年了，我出出进进，约莫也有几万次都不止，还有什么看头儿，什么说头儿？”熟视无睹讲的就是这种麻木的状态。当你把它当作第一次才看见，把它当作“江上之清风，山间之明月”，以审美的眼光再重新审视，也许就全然不同了。石礅是什么表情？它在望着谁？坡石少了一块，是什么时候又怎么缺失的？阶石倾斜着，何时开始的？两道石缝的抔土中又冒出了什么小叶子？当我用心关注和体贴它们，爱的生活就开始了（摄于宣武椿树南柳巷〔柳条胡同并入〕）

妈妈还说不好北京话，她正在告诉宋妈，今天买什么菜。妈不会说“买一斤猪肉，不要太肥”。她说：“买一斤租漏，不要太回。”

妈妈梳完了头，用她的油手抹在我的头发上，也给我梳了两条辫子。我看宋妈提着篮子要出去了，连忙喊住她：

“宋妈，我跟你去买菜。”

宋妈说：

“你不怕惠难馆的疯子？”

宋妈是顺义县人，她也说不好北京话，她说成“惠难馆”，妈说成“灰娃馆”，爸说成“飞安馆”，我随着胡同里的孩子说“惠安馆”，到底哪一个对，我不知道。

我为什么要怕惠安馆的疯子？她昨天还冲我笑呢！她那一笑真有意思，要不是妈紧紧拉我的手，我就会走过去看她，跟她说话了。

惠安馆在我们这条胡同的最前一家，三层石台阶上去，就是两扇大黑门凹进去，门上横着一块匾，路过的时候爸教我念过：“飞安会馆”。爸说里面住的都是从“飞安”那个地方来的学生，像叔叔一样，在大学里念书。

“也在北京大学？”我问爸爸。

“北京的大学多着呢，还有清华大学呀！燕京大学呀！”

“可以不可以到飞安——不，惠安馆里找叔叔们玩一玩？”

门钹，叫门用的 摸了那六蝠环纹的门钹，再摸摸那裸露的原木，裸露的油灰麻刀，鳞片一样的黑漆皮，自己好像明白了一点“门与人”或“人与门”（摄于宣武南柳巷胡同〔柳条胡同并入〕）

小屋窗台上的药壶

“做唔得！做唔得！”我知道，我无论要求什么事，爸终归要拿这句客家话来拒绝我。我想总有一天我要迈上那三层台阶，走进那黑洞洞的大门里去的。

惠安馆的疯子我看见好几次了，每一次只要她站在门口，宋妈或者妈就赶快捏紧我的手，轻轻说：“疯子！”我们就擦着墙边走过去，我如果要回头再张望一下，她们就用力拉我的胳膊制止我。其实那疯子还不就是一个梳着油松大辫子的大姑娘，像张家李家的大姑娘一样！她总是倚着门墙站着，看来来往往过路的人。

是昨天，我跟着妈妈到骡马市的佛照楼去买东西，妈是去买搽脸的鸭蛋粉，我呢，就是爱吃那里的八珍梅。我们从骡马市大街回来，穿过魏染胡同，西草厂，到了椿树胡同的井窝子，井窝子斜对面就是我们住的这条胡同。刚一进胡同，我就看见惠安馆的疯子了，她穿了一身绛紫色的棉袄，黑绒的毛窝，头上留着一排刘海儿，辫子上扎的是大红绒绳，她正把大辫子甩到前面来，两手玩弄着辫梢，愣愣地看着对面人家院子里的那棵老洋槐。干树枝子上有几只乌鸦，胡同里没什么人。

妈正低头嘴里念叨着，准是在算她今天一共买了多少钱的东西，好跟无事不操心的爸爸报账，所以妈没留神已经走到了“灰娃馆”。我跟在妈的后面，一直看疯子，竟忘了走路。这时疯子的眼光从洋槐上落下来，正好看到我，她眼珠不动地盯着我，好像要在我的脸上找什么。她的脸白得发青，鼻子尖有点红，大概是冷风吹冻的，尖尖的下巴，两片薄嘴唇紧紧地闭着。忽然她的嘴唇动了，眼睛也眨了两下，带着笑，好像要说话，弄着辫梢的手也向我伸出来，招我过去呢。不知怎么，我浑身大大地打了一个寒战，跟着，我就随着她的招手和笑意要向她走去。——可是妈回过头来了，突然把我一拉：

“怎么啦，你？”

“嗯？”我有点迷糊。妈看了疯子一眼，说：

“为什么打哆嗦？是不是怕——是不是要溺尿？快回家！”我的手被妈使劲拖拉着。

回到家来，我心里还惦念着疯子的那副模样儿。她的笑不是很有意思吗？如果我跟她说话——我说：“嘿！”她会怎么样呢？我愣愣地想着，懒得吃晚饭，实在也是八珍梅吃多了。但是晚饭后，妈对宋妈说：

“英子一定吓着了。”然后给我沏了碗白糖水，叫我喝下去，并且命令我钻被窝睡觉。……

这时，我的辫子梳好了，追了宋妈去买菜，她在前面走，我在后面跟着。她的那条恶心的大黑棉裤，那么厚，那么肥，裤脚绑着。别人告诉妈说，北京的老妈子很会偷东西，她们偷了米就一把一把顺着裤腰装进裤兜子，刚好

两会馆的二层木楼围栏 房檐下吊着一根长长的竹竿，晾晒衣被。虽馆内杂居多户，棚架仓厨处处围堵，我立锥静观，仍能见出原来的严整和居者的情致（摄于宣武南柳巷胡同〔柳条胡同并入〕）

石水槽 这里的美，就美在一个“古”字上。还是残缺的，更蒙加了一层神秘（摄于西岔胡同〔原惜薪司西岔〕）

落到绑着的裤脚管里，不会漏出来。我在想，宋妈的肥裤脚里，不知道有没有我家的白米？

经过惠安馆，我向里面看了一下，黑门大开着，门道里有一个煤球炉子，那疯子的妈妈和爸爸正在炉边煮什么，大家都管疯子的爸爸叫“长班老王”，长班就是给会馆看门的，他们住在最临街的一间屋子。宋妈虽然不许我看疯子，但是我知道她自己也很爱看疯子，打听疯子的事，只是不许我听我看就是了。宋妈这时也向惠安馆里看，正好疯子的妈妈抬起头来，她和宋妈两人同时说“吃了吗？您！”爸爸说北京人一天到晚闲着没有事，不管什么时候见面都要问吃了没有。

出了胡同口往南走几步，就是井窝子，这里满地是水，有的地方结成薄薄的冰，独轮水车来一辆去一辆，他们扭着屁股推车，车子吱吱扭扭地响，好刺耳，我要堵起耳朵啦！井窝子有两个人正向深井里打水，水打上来倒在一个好大的水槽里，推水的人就在大水槽里接了水再送到各家去。井窝子旁住着一个我的朋友——和我一般高的妞儿。我这时停在井窝子旁边不走了，对宋妈说：

“宋妈，你去买菜，我等妞儿。”

妞儿，我第一次是在油盐店里看见她的。那天她两只手端了两个碗，拿了一大枚，又买酱，又买醋，又买葱，伙计还逗着说：“妞儿，唱一段才许你走！”妞儿眼里含着泪，手摇晃着，醋都要洒了，我有说不出的气恼，一下窜到妞儿身旁，插着腰问他们：

“凭什么？”

就这样，我认识了妞儿。

妞儿只有一条辫子，又黄又短，像妈在土地庙给我买的小狗的尾巴。第二次看见妞儿，是我在井窝子旁边看打水。她过来了，一声不响地站在我身边，我们俩相对着笑了笑，不知道说什么好。等一会儿，我就忍不住去摸她那条小黄辫子了，她又向我笑了笑，指着后面，低低的声音说：

“你就住在那条胡同里？”

“嗯。”我说。

“第几个门？”

我伸出手指头来算了算：

“一,二,三,四，第四个门。到我们家来玩儿。”

她摇摇头说：“你们胡同里有疯子，妈不叫我去。”

“怕什么？她又不吃人。”

她仍然是笑笑地摇摇头。

妞儿一笑，眼底下鼻子两边的肉就会有两个小旋涡，很好看，可是宋妈竟跟油盐店的掌柜说：

“这孩子长得俊倒是俊，就是有点薄，眼睛太透亮了，老像水汪着，你看，眼底下有两个泪坑儿。”

我心里可是有说不出的喜欢她，喜欢她那么温和，不像我一急宋妈就骂我的："又跳？又跳？小暴雷。"那天她跟我在井窝子边站了一会儿，就小声地说："我要回去了，我爹等着我吊嗓子。赶明儿见！"

我在井窝子旁跟妞儿见过几次面了，只要看见红棉袄裤从那边闪过来，我就满心的高兴，可是今天，等了好久都不见她出来，很失望，我的绒褂子口袋里还藏着一小包八珍梅，要给妞儿吃的。我摸摸，发热了，包的纸都破烂了，黏糊糊的，宋妈洗衣服时，我还得挨她一顿骂。

我觉得很没意思，往回家走，我本来想今天见着妞儿的话，就告诉她一个好主意，从横胡同穿过到我家，就用不着经过惠安馆，不用怕看见疯子了。

我低头这么想着，走到惠安馆门口了。

"嘿！"

吓了我一跳！正是疯子。咬着下嘴唇，笑着看我。她的眼睛里透亮，一笑眼底下——就像宋妈说的，怎么也有两个泪坑儿呀！我想看清楚她，我是多么久以前就想看清楚她的。我不由得对着她的眼神走上了台阶。太阳照在她的脸上，常常是苍白的颜色，今天透着亮光了。她揣在短棉袄里的手伸出来拉住我的手，那么暖，那么软。我这时看看胡同里，没有一个人走过。真奇怪，我现在怕的不是疯子，倒是怕人家看见我跟疯子拉手了。

窄 小胡同窄的地方，两个人就要擦肩而过了。胡同口，横的那条亮亮的街，便是摆满了古玩字画的琉璃厂西街（摄于西琉璃厂万源夹道）

门槛，补了四个铁补丁 京城有一谜语，是打一个物件，这个谜，只能说出，不能写出，写出就好猜了。这儿，硬是不能说了，只好写："有卖（迈）的，没买的。"猜着了吧，谜底就在画面上（摄于宣武椿树南柳巷）

“几岁了？”她问我。

“嗯——六岁。”

“六岁！”她很惊奇地叫了一声，低下头来，忽然撩起我的辫子看我的脖子，在找什么。“不是。”她喃喃地自己说话，接着又问我：

“看见我们小桂子没有？”

“小桂子？”我不懂她在说什么。

这时大门里疯子的妈妈出来了，皱着眉头怪着急地说：

“秀贞，可别把人家小姑娘吓着呀！”又转过脸来对我说：

“别听她的，胡说呢！回去吧！等回头你妈不放心。嗯——听见没有？”她说着，用手扬了扬，叫我回去。

我抬头看着疯子，知道她的名字叫秀贞了。她拉着我的手，轻摇着，并不放开我。她的笑，增加了我的勇气，我对老的说：

“不！”

“小南蛮子儿！”秀贞的妈妈也笑了，轻轻地指点着我的脑门儿，这准是一句骂我的话，就像爸爸常用看不起的口气对妈说“他们这些北仔鬼”是一样的吧！

“在这儿玩不要紧，你家来了人找，可别赖是我们姑娘招的你。”

“我不说的啦！”何必这么嘱咐我？什么该说，什么不该说，我都知道。妈妈打了一只金镯子，藏在她的小首饰箱里，我从来不会告诉爸爸。

“来！”秀贞拉着我往里走，我以为要到里面那一层一层很深的院子里去找上大学的叔叔们玩呢，原来她把我带进了她们住的门房。

屋里可不像我家里那么亮，玻璃窗小得很，临窗一个大炕，中间摆了一张矮炕桌，上面堆着活计和针线盒子。秀贞从桌上拿起了一件没做完的衣服，朝我身上左比右比，然后高兴地对走进来的她的妈妈说：

“妈，您瞧，我怎么说的，刚合适！那么就开领子吧。”说着，她又找了一根绳子，绕着我的脖子量，我由她摆布，只管看墙上的那张画，画儿是一个白胖大娃娃，没有穿衣服，手里捧着大元宝，骑在一条大大的红鱼上。

秀贞转到我的面前来，看我仰着头，她也随着我的眼光看那张画，满是那么回事地说：

“要看炕上看去，看我们小桂子多胖，那阵儿才八个月，骑着大金鱼，满屋里转，玩得饭都不吃，就这么淘……”

“行啦行啦！不——害——臊！”秀贞正说得高兴，我也听得糊里糊涂，长班老王进来了，不耐烦地瞪了秀贞一眼说她。秀贞不理会她爸爸，推着我脱鞋上炕，凑近在画下面，还是只管说：

石臼石碾 形成古城之前，就有先辈在这里聚集，打井、汲水、舂米、碾谷，约莫这是上千年的景况了。后来，元、明、清、民国、解放……那些过时的石头磨具沉重又不朽，于是被就近移至道边路旁或院门左右，用来护墙、护门、护阶，也成了一种古老历史的象征。胡同里没了它，就少了胡同的气氛和味道，就少了神儿。古城北京没有它，你就很难说“这是古城”，真的（摄于东松树胡同〔原新帘子胡同东段并入〕）

“饭不吃，衣服也不穿，就往外跑，老是急着找她爹去，我说了多少回都不听，我说等我给多做几件衣服穿上再去呀！今年的衬褂倒是先做好了，背心就差缝钮子了。这件棉袄开了领子马上就好。可急的是什么呀！真叫人纳闷儿，到底是怎么档子事儿……”她说着说着不说了，低着头在想那纳闷儿的事，一直发愣。我想，她是在和我玩“过家家儿”吧？她妈不是说她胡说吗？要是过家家儿，我倒是有一套玩意儿，小手表，小算盘，小铃铛，都可以拿来一起玩。所以我就说：

“没有关系，我把手表送给小桂子，她有了表就有一定时候回家了。”可是，——这时我倒想起妈会派宋妈来找我，就又说：“我也要回家了。”

秀贞听我说要走，她也不发愣了，一面随着我下了炕，一面说：“那敢情好，先谢谢你啦！看见小桂子叫她回来，外头冷，就说我不骂她，不用怕。”

我点了点头，答应她，真像有那么一个小桂子，我认识的。

我一边走着一边想，跟秀贞这样玩儿，真有意思；假装有一个小桂子，还给小桂子做衣服。为什么人家都不许他们的小孩子跟秀贞玩儿呢？还管她叫疯子？我想着就回头去看，原来秀贞还倚着墙看我呢！我一高兴就连跑带跳地回家来。

只剩半扇的院门（摄于西城油房胡同12号）

宋妈正在跟一个老婆子换洋火，房檐底下堆着字纸篓，旧皮鞋，空瓶子。

我进了屋子就到小床前的柜里找出手表来。小小圆圆的金表，镶着几粒亮亮的钻石，上面的针已经不能走动了，妈妈说要修理，可一直放着，我很喜欢这手表，常拿来戴在手上玩，就归了我了。我正站在三屉桌前玩弄着，忽然听见窗外宋妈正和老婆子在说什么，我仔细听，宋妈说：

“后来呢？”

“后来呀，”换洋火的老婆子说，“那学生一去到如今晚儿就没回来！临走的时候许下的，回到他老家卖田卖地，过一个月就回来明媒正娶她。好嘛！这一等就是六年啦！多俊的姑娘，我眼瞧着她疯的。……”

“说是怎么着？还生了个孩子？”

“是呀！那学生走的时候，姑娘她妈还不知道姑娘有了，等到现形了，这才赶着送回海甸义地去生的。”

“义地？”

“就是他们惠安义地，惠安人在北京死了就埋在他们惠安义地里。原来王家是给义地看坟的，打姑娘的爷爷就看起，后来才又让姑娘她爹来这儿当长班，谁知道出了这么档子事儿。”

“他们这家子倒是跟惠难有缘，惠难离咱们这儿多远哪？怎么就一去不回头了呢？”

“可远喽！”

“那么生下来的孩子呢？”

“孩子呀，一落地就裹包裹包，趁着天没亮，送到齐化门城根底下啦！反正不是让野狗吃了，就是让人捡去了！”

“姑娘打这儿就疯啦？”

“可不，打这儿就疯了！可怜她爹妈，这辈子就生下这么个姑娘。唉！”

两个人说到这儿都不言语了，我这时已经站到屋门口倾听。宋妈正数着几包丹凤牌的红头洋火，老婆子把破烂纸往她的大筐里塞呀塞呀！鼻子里吸溜着清鼻涕。

宋妈又说：

“下回给带点刨花来。那——你跟疯子她们是一地儿的人呀？”

“老亲喽！我大妈娘家二舅屋里的三姐算是疯子她二妈，现在还在看坟，他们说的还有错儿吗？”

宋妈一眼看见了我，说：

“又听事儿，你。”

“我知道你们说谁。”我说。

“说谁？”

“小桂子她妈。”

“小桂子她妈？”宋妈哈哈大笑，“你也疯啦？哪儿来

凝视 一只鸽子，又一只鸽子，飞落在老屋的瓦顶上，它们似乎在凝视着古城的日下，凝视着古城一代又一代人的繁衍、生活和劳作。它们，连同它们站立的瓦顶，都染上了日下的余晖，一切像是停住了，在空寂纯白的天幕下。噢，正是在人与世界的瞬息万变中，我明白了“停住”的意思，那是属于永恒，它关照和温暖人类的心魂，导正走路的方向（摄于鸦儿胡同〔原鸭儿胡同、广化寺街。侯位胡同并入〕）

从墙里崛起的树枝 两个后窗，两根枝条，中间是个流雨水的瓦口（摄于南长街大宴乐胡同〔西大街三条并入〕9号）

铁钉钉成的卐字图案在临街门柱上

（摄于宣武椿树南柳巷2号）

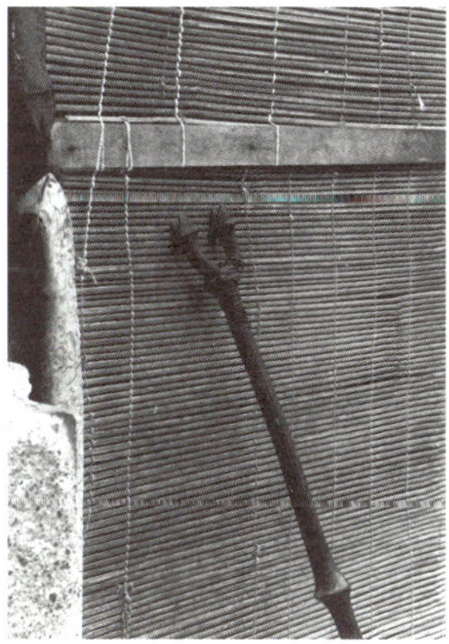

竹门帘和晾衣服的竹竿 冬天，北京冷，为了防止热气外泄，冷气袭入，门前挂的是棉门帘，蓝布面，镶很宽的黑边，内絮棉花，用针纳出斜方格花纹。到了夏天，又换上竹帘，它是又防蚊又通风，而且，从屋内往外看，清清楚楚，从院往里看，什么看不出。隔着竹帘，看院景，春花夏雨秋叶黄，也是个乐子（摄于椿树南柳巷）

的小桂子她妈呀？”

我也哈哈笑了，我知道谁是小桂子她妈呀！

二

天气暖和多了，棉袄早就脱下来，夹袄外面早晚凉就罩上一件薄薄的棉背心，又轻又软。我穿的新布鞋，前头打了一块黑皮子头，老王妈——秀贞她妈，看见我的新鞋说：

“这双鞋可结实哟——把我们家的门槛儿踢烂了，你这双鞋也破不了！”

惠安馆我已经来熟了，会馆的大门总是开着一扇，所以我随时可以溜进来。我说溜进来，因为我总是背着家里的人偷着来的，他们只知道我常常是随着宋妈买菜到井窝子找妞儿，一见宋妈进了油盐店，我就回头走，到惠安馆来。

我今天进了惠安馆，秀贞不在屋里。炕桌上摆着一个大玻璃缸，里面是几条小金鱼，游来游去。我问王妈：

“秀贞呢？”

“跨院里呢！”

“我去找她。”我说。

“别介，她就来，你这儿等着，看金鱼吧！”

我把鼻子顶着金鱼缸向里看，金鱼一边游一边嘴巴一张一张地在喝水，我的嘴也不由得一张一张地在学鱼喝水。有时候金鱼游到我的面前来，隔着一层玻璃，我和鱼鼻子顶牛儿啦！我就这么看着，两腿跪在炕沿上，都麻了，秀贞还不来。

我翻腿坐在炕沿上，又等了一会，还不见秀贞来，我急了，溜出了屋子，往跨院里去找她。那跨院，仿佛一直都是关着的，我从来也没有见谁去过那里。我轻轻推开跨院门进去，小小的院子里有一棵不知道什么树，已经长了小小的绿叶子了。院角地上是干枯的落叶，有的烂了。秀贞大概正在打扫，但是我进去时看见她一手拿着扫帚倚在树干上，一手掀起了衣襟在擦眼睛，我悄悄走到她跟前，抬头看着她。她也许看见我了，但是没理会我，忽然背转身子去，伏着树干哭起来了，她说：

“小桂子，小桂子，你怎么不要妈了呢？”

那声音多么委屈，多么可怜啊！她又哭着说：

“我不带你，你怎么认得道儿，远着呢！”

我想起妈妈说过，我们是从很远很远的家乡来的，那里是个岛，四面都是水，我们坐了大轮船，又坐大火车，才到这个北京来。我曾问妈妈什么时候回去，妈说早着呢，来一趟不容易，多住几年。那么秀贞所说的那个远地方，是像我们的岛那么远吗？小桂子怎么能一个人跑了

地道寻常百姓家 吃白菜而留下菜心，栽于花盆内，看它开花——也是居家过日子的一个乐儿（摄于地安门东大街）

平常 廊柱上的垂吊——菜篮子和鸟笼子，生计和乐趣，合在一起，大约是老百姓的平常日，平常心（摄于地安门东大街）

去？我替秀贞难过，也想念我并不认识的小桂子，我的眼泪掉下来了。在模模糊糊的泪光里，我仿佛看见那骑着大金鱼的胖娃娃，是什么也没穿啊！

我含着眼泪，大大地倒抽了一口气，为的不让我自己哭出来，我揪揪秀贞裤腿叫她：

"秀贞！秀贞！"

她停止了哭声，满脸泪蹲下来，搂着我，把头埋在我的前胸擦来擦去，用我的绵绵软软的背心，擦干了她的泪，然后她仰起头来看看我笑了，我伸出手去调顺她的揉乱的刘海儿，不由得说：

"我喜欢你，秀贞。"

秀贞没有说什么，吸溜着鼻涕站起来。天气暖和了，她也不穿绑腿棉裤了，现在穿的是一条肥肥的散腿裤。她的腿很瘦吗？怎么风一吹那裤子，显得那么晃荡。她浑身都瘦，刚才蹲下来伏在我的胸前时，我看那块后脊背，平板儿似的。

秀贞拉着我的手说：

"屋里去，帮着拾掇拾掇。"

小跨院里只有这么两间小房，门一推吱扭扭的一串尖响，那声音不好听，好像有一根刺扎在人心上。从太阳地里走进这阴暗的屋里来，怪凉的。外屋里，整整齐齐地摆着书桌，椅子，书架，上面满是灰土，我心想，应该叫我们宋妈来给撣撣，准保扬起满屋子的灰。爸爸常常对妈说，为什么宋妈不用湿布擦，这样大撣一阵，等一会儿，灰尘不是又落回原来的地方了吗？但是妈妈总请爸爸不要多嘴，她说这是北京规矩。

走进屋里去，房间更小一点，只摆了一张床，一个茶几。床上有一口皮箱，秀贞把箱子打开来，从里面拿出一件大棉袍，我爸爸也有，是男人的。秀贞把大棉袍抱在胸前，自言自语地说：

“该翻翻添点棉花了。”

她把大棉袍抱出院子去晒，我也跟了去。她进来，我也跟进来。她叫我和她把箱子抬到院子太阳底下晒，里面只有一双手套，一顶呢帽和几件旧内衣。她很仔细地把这几件零碎衣物摊开来，并且拿起一件条子花纹的褂子对我说：

“我瞧这件褂子只能给小桂子做夹袄里子了。”

“可不是，”我翻开了我的夹袄里给秀贞看，“这也是用我爸爸的旧衣服给改的。”

“你也是用你爸爸的？你怎么知道这衣服就是小桂子她爹的？”秀贞微笑着瞪眼问我，她那样子很高兴，她高兴我就高兴，可是我怎么会知道这是小桂子她爹的？她问得我答不出，我斜着头笑了，她逗着我的下巴还是问：

“说呀！”

我们俩这时是蹲在箱子旁，我很清爽地看着她的脸，刘海儿被风吹倒在一边，她好像一个什么人，我却想不出。我回答她说：

“我猜的。那么——”我又低声地问她，“我管小桂子她爹叫什么呀？”

“叫叔叔呀！”

“我已经有叔叔了。”

“叔叔还嫌多？叫他思康叔叔好了，他排行第三，叫他三叔也行。”

“思康三叔，”我嘴里念着，“他几点钟回家？”

“他呀，”秀贞忽然站起来，紧皱着眉毛斜起头在想，想了好一会儿才说，“快了。走了有个把月了。”

说着她又走进屋，我再跟进去，弄这弄那，又跟出来，搬这搬那，这样跟出跟进忙得好高兴。秀贞的脸这时粉嘟嘟的了，鼻头两边也抹了灰土，鼻子尖和嘴唇上边渗着小小的汗珠，这样的脸看起来真好看。

秀贞用袖子抹着她鼻子上的汗，对我说：“英子，给我打盆水来会不会？屋里要擦擦。”

我连忙说：

“会，会。”

跨院的房子原和门房是在一溜沿的，跨院多了一个门就是了，水缸和盆就放在门房的房檐下。我掀开水缸的盖子，一勺勺地往脸盆里舀水，听见屋里有人和秀贞的妈说话：

“姑娘这程子可好点儿了吗？”

“唉！别提了，这程子又闹了，年年开了春就得闹些日子，这两天就是哭一阵子笑一阵子的，可怎么好！真是……”

“这路毛病就是春天犯得凶。”

我端了一盆水，连晃连洒，泼了我自己一身水，到了跨院屋里，也就剩不多了。把盆放在椅子上，忽然不知哪儿飘来炒菜香，我闻着这味儿想起了一件事，便对秀贞说：

“我要回家了。”

秀贞没听见，只管在抽屉里翻东西。

我是想起回家吃完饭还要到横胡同去等妞儿，昨天约会好了的。

又凉又湿的裤子，贴在我的腿上，一进门妈妈就骂了：

“就在井窝子玩一上午？我还以为你掉到井里去了呢？看你弄这么一身水！”妈一边给我换衣服，一边又说，“打听打听北京哪个小学好，也该送进学堂了，听说厂甸那个师大附小还不错。”

妈这么说着，我才看见原来爸爸也已经回来了，我弄了一身水，怕爸爸要打骂我，他厉害得很，我缩头看着爸

（上）阳光下，门前的水缸、水桶和花盆（摄于南长街西巷〔原西大街、土地庙并入〕）

（中）变迁 老门，变成了窗；孤零零的一个门枕石仿佛拿出证据似的在讲从前的故事。院内，除了老树探出墙头，还有一个绑在竹竿上扫房用的鸡毛掸子，是黑鸡毛，瞅见了么？（摄于未英胡同〔原未央胡同，下洼子中段并入〕）

（下）跨院的天窗 进院，一层一层，很深，很静，连自己的脚步声都听得真切。回首一望，老屋的夹缝中，天，格外清白，廓出了大树和远处的天窗（摄于西绒线胡同〔原绒线胡同〕）

夹道中的拱形门楼（摄于宣武椿树南柳巷）

窗 本来是窗户，通气进光的。不知怎的，敷上了木板，遮得严严实实。怕看？防盗？还是什么？（摄于宣武后青厂胡同〔原后青厂。武进馆夹道部分并入〕）

爸，准备被挨打的姿势，还好他没注意，抽着烟卷儿在看报，漫应着说：

“还早呢，急什么。”

“不送进学堂，她满街跑，我看不住她。”

“不听话就打！”爸的口气好像很凶，但是随后却转过脸来向我笑笑，原来是吓唬我呢！他又说：“英子上学的事，等她叔叔来再对他说，由他去管吧！”

吃完饭我到横胡同去接了妞儿来，天气不冷了，我和妞儿到空闲着的西厢房里玩，那里堆着拆下来的炉子，烟筒，不用的桌椅和床铺。一个破藤箱子里，养了最近买的几只刚孵出来的小油鸡，那柔软的小黄绒毛太好玩了，我和妞儿蹲着玩弄箱里的几只小油鸡。看小鸡啄米吃，总是吃，总是吃，怎么不停啊！

小鸡吃不够，我们可是看够了，盖上藤箱，我们站起来玩别的。拿两个制钱穿在一根细绳子上，手提着，我们玩踢制钱，每一踢，两个制钱打在鞋帮上“嗒嗒”地响。妞儿踢时腰一扭一扭的，显得那么娇。

这一下午玩得好快乐，如果不是妞儿又到了她吊嗓子的时候，我们不知道要玩多么久。

爸爸今天买来了新的笔和墨，还有一叠红描字纸。晚上，在煤油灯底下，他教我描红模字，先念那上面的字：“一去二三里，烟村四五家，亭台六七座，八九十枝花。”

爸爸说：

“你一天要描一张，暑假以后进小学，才考得上。”

早上我去惠安馆找秀贞，下午妞儿到西厢房里来找我，晚上描红模字，我这些日子就这么过的。

小油鸡的黄毛上长出短短的翅膀来了，我和妞儿喂米喂水又喂菜，宋妈说不要把小鸡肚子撑坏了，也怕被野猫给叼了去，就用一块大石头压住藤箱盖子，不许我们随便掀开。

妞儿和我玩的时候，嘴里常常哼哼唧唧的，那天一高兴，她竟扭起来了，她扭呀扭呀比来比去，嘴里唱着：“……开哀开门嗯嗯儿，碰见张秀才哀哀……”

“你唱什么？这就是吊嗓子吗？”我问。

“我唱的是打花鼓。”妞儿说。

她的兴致很好，只管轻轻地唱下去，扭下去，我在一旁看傻了。她忽然对我说：“来！跟我学，我教你。”

“我也会唱一种歌，”不知怎么，我想我也应当露一露我的本事，一下子想起了爸爸有一回和客人谈天数唱的一首歌，后来爸曾教了我，妈还说爸爸教我这种歌真是没大没小呢！

“那你唱，那你唱。”妞儿推着我，我却又不好意思唱了，她一定要我唱，我只好结结巴巴地用客家话念唱起来：

“你听着——想来么事想心肝，紧想心肝紧不安！我想心肝心肝想，正是心肝想心肝……”

我还没数完呢，妞儿已经笑得挤出了眼泪，我也笑起来了，那几句词儿可真是拗嘴。

“谁教你的？什么心肝想心肝，心想心肝想的，哈哈哈！你唱的这是哪国的歌儿呀！”

我们俩搂在一堆笑，一边瞎说着心肝心肝的，也闹不清是什么意思。

我们真快乐，胡说胡唱胡玩，西厢房是我们的快乐窝，我连做梦都想着它。

妞儿每次也是玩得够不够的才看看窗外，忽然叫喊：“可得回去了！”说完她就跑，急得连“再见”都来不及说。

忽然一连几天，横胡同里接不到妞儿了，我是多么的失望，站在那里等了又等。我慢慢走向井窝子去，希望碰见她，可是没有用。下午的井窝子没那么热闹了，因为送水的车子都是上午来，这时只有附近人家自己推了装着铅桶的小车子来买井水。

我看见长班老王也推了小车子来，他一趟一趟来好几趟了，见我一直站在那里，奇怪地问我：

“小英子，你在这儿发什么傻？”

我没有说什么，我自己心里的事，自己知道。我说：

“秀贞呢？”我想如果等不到妞儿，就去找秀贞，跨院

临街的二层砖木红楼——北平师范大学第一附属小学的旧址 “妈一边给我换衣服，一边又说：‘打听打听北京哪个小学好，也该送进学堂了，听说厂甸那个师大附小还不错。’”——林海音《城南旧事》。当我与助手高萍费了很大周折，贴近了这幢红楼时，的确感到它十分气派，还真不错。迈上楼梯，摄下了可以触摸小学时光的难忘画面

岁月的光亮——楼梯扶手　岁月，也能发亮么？在师大第一附小的走廊里，当眼前突然一亮，看清了那是楼梯拐角扶手的瞬间，我们相信了。岁月，一届一届小学生的手，一代又一代老师的手，伴着早操、自习、上课下课摇铃的声音，多少次的上楼下楼，扶着它，摸着它，靠着它，碰撞着它……，成了这个样子，像一件紫铜雕塑，闪烁着亮光。用您的手去触摸一下吧！（雕塑本该就是让参观者去摸的）小坑小洼，微微的凸凹，仿佛是雕塑家创作时激情的刻记。我与伙伴高萍拍下了它，半晌说不出一句话（摄于北新华街师大附小旧址）

北平师范大学第一附属小学的教室走廊 走廊朝东的一侧是教室，朝西的一侧是窗户，打开窗，隔着北新华街，对面就是师范大学。为了挡住西晒，做了红色的遮阳棚，与这红楼和谐

北平师范大学第一附属小学的教室楼梯 “七岁的英子投考北京师范大学第一附属小学。这是英子的第一件‘人生大事’，她知道这件事得靠自己。英子紧紧地拉着厇叔的手，认真地在附小的楼上、楼下教室一间间进出，认颜色、考数字、填木块。”——夏祖丽《林海音传》

早收拾得好干净了。但是老王没理我，他装满了两桶水，就推走了。

我正在犹豫着怎么办的时候，忽然从西草厂口上，转过来一个熟悉的影子，那正是妞儿，我多高兴！我跑着迎上去，喊她："妞儿！妞儿！"她竟不理我，就像不认识我，也像没听见有人叫她。我很奇怪，跟在她身边走，但她用手轻轻赶开我，皱着眉头眨眼，意思叫我走开。我不知道是怎么回事，但见她身后几步远有一个高大的男人，穿着蓝布大褂，手提着一个脏了的长布口袋，口袋上露出来我看见是一把胡琴。

我想这一定是妞儿的爸爸。妞儿常说"我怕我爹打"、"我怕我爹骂"的话，我现在看那样子就知道，我不跟妞儿再说话了，就转身走回家，心里好难受。我口袋里有一块滑石，可以在砖上写出白字来，我掏出来，就不由得顺着人家的墙上一直画下去，画到我家的墙上。心里想着如果没有妞儿一起玩，是多么没有意思呢！

我刚要叫门，忽然听见横胡同里咚咚咚有人跑步声，原来是妞儿气喘着跑来了，她匆匆忙忙神色不安地说："我明儿再来找你。"没等我回答，她就又跑回横胡同了。

第二天早晨，妞儿来找我，我们在西厢房里，蹲下来看小油鸡。掀开藤箱盖子，我们俩都把手伸进去摸小油鸡的羽毛，这样摸着摸着，谁也没说话。我本来是要说话的，但是没有出声，只是心里在问她："妞儿，为什么好多天没来找我？""妞儿，是你爸爸很厉害不许你来吗？""妞儿，昨天为什么不许我跟你说话？""妞儿，你一定有什么难受的事吧？"真奇怪，这些话都是我心里想的，并没有说出口，可是她怎么知道的，竟用眼泪来回答我？她不说话，也不用袖子去抹眼，就让眼泪滴答滴答落在藤箱里，都被小油鸡和着小米吃下去了！

我不知怎么办好了，从侧面正看见她的耳朵，耳垂上扎了洞用一根红线穿过去，妞儿的耳朵没有洗干净，边沿上有一道黑泥。我再顺着她的肩膀向下看，手腕上有一条青色的伤痕，我伸手去撩起她的袖口看，她这才惊醒了，吓得一躲闪，随着就转过头来向我难过地笑笑。早晨的太阳，正照到西厢房里，照到她的不太干净的脸上，又湿又长的睫毛，一闪动，眼泪就流过泪坑淌到嘴边了。

忽然，她站起来，撩开袖口，撩起裤角，轻轻地说：

"看我爸爸打的！"

我是蹲着的，伸出手正好摸到她腿上那一条条肿起的伤痕。我轻轻地摸，倒惹得她哭出声音来了。她因为不敢放声，嘤嘤的小声哭，真是可怜。我说：

"你爸爸干吗打你？"

她当时说不出话来，哭了好一会儿才说：

"他不许我出来玩。"

走廊里，矮长凳 您看，这凳子该是谁坐的？又矮、又长、又宽，又是极结结实实的。在师大第一附小的教室走廊里放着。什么是最好的教育？一个凳子做了回答

地上有投影的就要拆掉的小巷 拍摄它，只想证明，它是不该拆的（摄于南长街养廉胡同〔老爷庙后巷并入〕）

那四合院的回廊、屋檐，还有熟识的灯伞——我们童年的夜晚，就常常是在这微弱的灯光下度过 玩游戏，“老鹰捉小鸡”，小鸡们你抱着我，我揪住他，他又牵着别的小孩，……，在“老鹰”的左突右逼之下东拥西退，跌跌撞撞，前仰后合，哪管啥男孩女孩，都是一身土，一身汗：哪管老鹰小鸡，都是一样的乐，一样的忘记了一切。为什么那时你老是觉得玩不够，为什么你现在还记得那么真？因为它是地地道道的游戏！人远离了游戏，也就远离了人的本真（摄于西交民巷87号院内）

“是因为在我家待太久了？”

妞儿点点头。

因为在我家玩久了，害得她挨打，我又难过，又害怕，想到那个高大的男人，我不由得说：

“那么你快回去吧！”她站着不动，说：

“他一早出去还没回来。”

“那么你妈呢？”

“我妈也拧我，她倒不管我出来的事。爸爸也打她。打了她，她就拧我，说是我害的。”

妞儿哭了一阵子好些了，又跟我说这说那的，我说我从来没有看过她的妈妈，妞儿说她的妈妈有点跛，一天到晚就是坐在炕头上给人缝补衣服赚钱。

我告诉妞儿，我们从前不住在北京，是从一个很远的岛上来的。她也说：

“我们从前也不住在这儿，我们住在齐化门那边。”

“齐化门？”我点点头说，“我知道那地方。”

“你怎么会也知道齐化门呢？”妞儿奇怪地问我。

我想不出我是怎么知道的，但我的确知道，好像有什么人大清早曾带我去过那里，而且我也像看见了那里的样子似的，不，不，不是，我所看见的很模糊，也许那是一个梦吧？因此我就回答妞儿说：

“我梦见过那个地方，有没有城墙？有一天，有一个女

墙上的涂画和墙前的断木 涂画，那是孩子们生活的记号。正如林海音小说里："我口袋里有一块滑石，可以在砖上写出白字来，我掏出来，就不由得顺着人家的墙上一直画下去，画到我家的墙上。心里想着如果没有妞儿一起玩，是多么没有意思呢！"粗大的断木，不知在墙前搁了多少年，附近住家的大人小孩，茶余饭后闲聊玩耍，在此或靠或坐，或踩或蹲，成了几十年人间活剧舞台的一个支点（摄于西城二龙路西太平街）

人抱着一个包袱，大清早上，偷偷地向城墙走去……”

“你是讲故事吧？”

“也许是故事，”我斜着头又深深地想了想。“反正我知道齐化门就是了。”

妞儿笑了笑，手伸过来搂着我的脖子，我的手也伸过去搂住她的。但当我捏住她的肩头，她轻喊了一声：“疼！疼！”

我的手连忙松开，她又皱着眉说：“连这儿都给我抽肿了！”

“什么抽的？”

“掸子。”停了一下她又说，“我爸，还有我妈，他们——”但她顿住不说下去了。

“他们怎么样？”

“不说了，下回再跟你说。”

“我知道，你爸爸教你唱戏，要你赚钱给他们花。”这是我听宋妈跟妈妈讲过的，所以一下子就给说出来了。“要你赚钱还打你，凭什么！”我说到后来气愤起来了。

“喝喝，你瞧你什么都知道，我不是要跟你说唱戏的事，你哪儿知道我要跟你说什么呀！”

“到底要说什么呢？说嘛！”

“你这么猴急，我就不说了。你要是跟我好，我有好多话要跟你说，就是不许你跟别人说，也别告诉你妈。”

老屋拆了一半，从一半中露出了皇城墙的“锯齿儿” 上小学，常听“远看城墙像锯齿儿”，那是逗笑的话；今细看，果不其然。平民的逗笑话里，正藏着真朴和长久的观察（摄于西城北长街）

告别老屋 （摄于椿树下二条）

废墟——《城南》不再是城南，它只在记忆里了 六十年代，出于建设，我们失去了古城的城墙城楼；九十年代，还是出于建设，古城又失去了成片成片的胡同和四合院。甚至，连它们的废墟也不复存在了。这座古城，记载着先人们在当时历史的直接反应，它保留了先人的内在生活。遗弃了它们，意味着也将遗弃我们自己（摄于宣武椿树北极巷〔原北极庵、北极庵横街并入〕东侧）

出门，就是对面老屋的后山墙 “天安门之西，皇城之南，有门三，俗称南豁子，其中额曰南长街，民国元年所新辟也。入门而北，为南长街，又北为北长街”“南长街之西，南曰猪肉下坡，今改为西大街。又西曰升平署，今为华北大学。稍北曰后铁门，再北曰大烟筒胡同，今改为大宴乐胡同。”——引自《燕都丛考》（摄于南长街大宴乐胡同〔西大街二条并入〕）

“我不会，我们小声地说。”

妞儿犹豫了一会儿，伏在我的耳旁小声而急快地说：

“我不是我妈生的，我爸爸也不是亲的。”

她说得那样快，好像一个闪电过去那么快，跟着就像一声雷打进了我的心，使我的心跳了一大跳。她说完后，把附在我耳旁的手挪开，睁着大眼睛看我，好像在等着看我听了她的话，会怎么个样子。我呢，也只是和她对瞪着眼，一句话也说不出来。

我虽然答应妞儿不讲出她的秘密，可是妞儿走了以后，我心里一直在想着这件事，我越想越不放心，忽然跑到妈妈面前，愣愣地问：

“妈，我是不是你生的？”

“什么？”妈奇怪地看了我一眼，“怎么想起问这话？”

“你说是不是就好了。”

“是呀，怎么会不是呢？”停一下妈又说，“要不是亲生的，我能这么疼你吗？像你这样闹，早打扁了你了。”

我点点头，妈妈的话的确很对，想想妞儿吧！“那么你怎么生的我？”这件事，我早就想问的。

“怎么生的呀，嗯——”妈想了想笑了，胳膊抬起来，指着胳肢窝说：

“从这里掉出来的。”

说完，她就和宋妈大笑起来。

三

我手里拿着一个空瓶子和一双竹筷子，轻轻走进惠安馆，推开跨院的门，院里那棵槐树，果然又垂着许多绿虫子，秀贞说是吊死鬼，像秀贞的那几条蚕一样，嘴里吐着一条丝，从树上吊下来。我把吊死鬼一条条弄进我的空瓶里，回家去喂鸡吃，每天都可以弄一瓶。那些吊死鬼装在小瓶里，咕囊咕囊地动，真是肉麻，我拿着装了吊死鬼的瓶子，胳膊常常觉得痒麻麻的，好像吊死鬼从瓶里爬到我的胳膊上了，其实没有。

我在把一条吊死鬼往瓶里装的时候，忽然想到了妞儿，心里很不安。她昨天又挨揍了，拿了两件衣服偷偷地来找我，进门就说：

"我要找我亲爹亲妈去！"她的脸有一边被打得红肿了。

"他们在哪儿呢？"

"我不知道，到齐化门，再慢慢地找。"

"齐化门在哪儿呢？"

"你不是说你也知道那地方吗？"

"我是说我好像做梦梦见过那地方的。"

妞儿把两件衣服塞在西厢房的空箱子里，很有主意地抹干了眼泪，恨恨地说：

“我非找着我亲爹不可。”

“你知道他长得什么样子吗？”我真佩服她，但觉得这是一件太大太大的事。

“我一天一天地找，就会找到我亲爹跟我亲娘。他们的样子我心里知道。”

“那么——”我也不知道要说什么，因为我一点主意也没有。

妞儿临走的时候说，她不定哪天就要偷偷地走，但是一定会先来这里跟我说一声，并且带走存在这里的两件衣服。

我昨天一直在想妞儿的事，心里很不舒服，晚上就吃不下饭了，妈妈摸摸我的头说：

“好像有点热，不吃也好，早点去睡。”

我上了床，心里还是不舒服，又说不出，就哭起来了。妈妈很奇怪，她说：

“哭什么？哪儿不舒服？”我不知怎么一来竟哭着说：

“妞儿她爸爸啊……”

“妞儿她爸爸？怎么啦？她爸爸怎么着你啦？”宋妈也过来了，她说：

“那个不是东西的，准是骂了我们英子了，还是打了你啦？”

“不是！”我忽然觉出我是说了什么糊涂话，便撒赖地哭喊着说："我要找我爸爸！"

"是要找你爸爸呀！唉！吓人！"宋妈和妈妈都笑了。妈妈说：

"你爸爸今天去看你叔叔，回来得晚点儿，你先睡吧！"她又对宋妈说："英子一生下来，她爸爸就给惯的，一不舒服，爸爸就抱着睡。"

"羞不羞？"宋妈用一个手指划我的脸我不理她，转过脸去冲着墙闭上眼睛。

今天我早晨起来就好得多了，不像昨天那样不安心。但是现在又想起妞儿，手里不由得停止了捉虫子的工作，呆呆地想，不知道什么时候，妞儿就会离开我。

我把瓶子扔在树下，站起来走到窗下向里看。秀贞正在里屋床前的一个杌凳上坐着，面向着床，我只看到她那小平板儿似的背影，辫子也没梳好。她比手划脚，又扬手轰苍蝇，其实哪儿有苍蝇？我轻轻地走进屋里，在外屋桌旁靠着，傻看她在干什么，只听她说：

"我准知道你咋儿晚上没吃饭就睡觉了，是不是？那怎么行！"

咦！真奇怪，秀贞怎么知道我昨晚没吃饭就睡觉了呢？我倚在里屋的门框说：

"谁告诉你的！"

"啊？"她回过头来看见我愁眉不展的样子，很正经地对我说：

“还用人告诉我吗？这碗粥一动也没动呀！”说完指着床旁茶几上的一个碗和一双筷子。

我这才知道秀贞说的不是我。自从天气暖和了，打开一向深闭的跨院门以后，秀贞就一天到晚在这两间屋里出出进进，说着那种我又懂、又不懂的话。最先我以为是秀贞跟我玩“过家家儿”，后来才又觉得不是假装的事情，它太像真事了！

秀贞又向着那空床发呆看了一会儿，转过头来，轻手轻脚地拉着我走到屋外来，小声地说：

“睡着了，让他睡去吧！这一场病也真亏他，没亲没故的！”

外屋书桌上摆着那缸春天买的金鱼，已经死了几条，可是秀贞还是天天勤着换水，玻璃缸里还加了几根水草，红色的鱼在绿色的水草中钻来钻去，非常好玩。我怎么知道鱼是红的草是绿的呢？妈妈教过我，她说快考小学了，老师要问颜色，要问住在哪儿，要问家里有几个人。秀贞还养了一盒蚕，她对我说过：

“你要上学，我们小桂子也该上学了，我养点蚕，吐了丝，好给小桂子装墨盒用。”

有几条蚕已经在吐丝了，秀贞另外把它们放在一个蒙了纸的茶杯上，就让它们在那纸上吐丝。真有趣，那些

晚风拂柳笛声残——倾颓的寺庵 琉璃厂西街的尽头，站在一片瓦砾上对枯草丛生的黄碧瓦顶做了最后的注目。这是二〇〇三年四月发生的事情。《顺天时极纵谈》："琉璃厂西门外，南、北分名为南、北柳巷，中有永光寺，相传为前明之古刹。先时一般书局及裱工作多僦居于此。厂西之对面为鹿犄角胡同，北极庵南口迤西则为青厂矣。北极庵亦名刹，内中奉祀玄帝。迤西则为后青厂，迤北则为兴盛寺，西则海波（北）寺街。"（摄于宣武琉璃厂西街〔原琉璃厂。翟家胡同、丰家胡同、灯笼胡同、祝家胡同、存古胡同、周家胡同并入〕）

有玻璃罩的煤油灯 为了不隐没它造型的别致，我们将其安置在石墙上，背景是单纯灰白的天空（摄于柏峪村）

原北平师范大学旧址——教学行政区的平房 现在，它是宣武区教育系统离退休老干部活动站和教育工作者协会，总算幸运，旧址有了一个较为合适的归宿吧。这小平房斜对着的，正是师大的图书馆——海音先生工作过的图书馆（摄于北新华街）

蚕很乖，就不会爬到茶杯下面来。另外的许多蚕还在吃桑叶。

秀贞在打扫蚕屎，她把一粒粒的蚕屎装进一个铁罐里，她已经留了许多，预备装成一个小枕头，给思康三叔用。因为他每天看书眼睛得保养，蚕屎是明目的。

我在旁边静静地看着鱼缸，看着吐丝，院子里的树，正靠在窗下，这屋里阴凉得很，我们俩都不敢大声说话，就像真的屋里躺着一个要休息的病人。

秀贞忽然问我：

“英子，我跟你说的事记住没有？”

我一时想不起是什么事，因为她对我说过的事，真真假假的太多了。她说将来要我跟小桂子一块儿去上学，小桂子也要考厂甸小学。她又告诉我从厂甸小学回家，顺着琉璃厂直到厂西门，看见鹿犄角胡同雷万春的玻璃窗里那对大鹿犄角，一拐进椿树胡同就到家了。可是她又说过，她要带小桂子去找思康三叔，做了许多衣服和鞋子，行李都打点好了。

我最记得秀贞说过的话，那是她讲的生小桂子的那回事。有一天，我早早溜到这里找秀贞，她看见我连辫子都没梳，就端出梳头匣子来，从里面拿出牛角梳子，骨头针和大红头绳，然后把我的头发散开来，慢慢地梳。她是坐在椅子上的，我就坐在小板凳上，夹在她的两腿中间，我的两只胳膊正好架在她的两腿上，两只手摸着她的两膝盖，两块骨头都成了尖石头，她瘦极了。我背着她，她问我：

“英子，你几月生的？”

“我呀？青草长起来，绿叶发出来，妈妈说，我生在那个不冷不热的春天。小桂子呢？”秀贞总把我的事情和小桂子的事情连在一起，所以我也就一下子想起小桂子。

“小桂子呀，”秀贞说，“青草要黄了，绿叶快掉了，她是生在那不冷不热的秋天。那个时光，桂花倒是香的，闻见没有？就像我给你搽的这个桂花油这么香。”她说着，把手掌送到我的鼻前晃一晃。

“小——桂——子。”我吸了吸鼻子，闻着那油味，不由得一字字地念出来，我好像懂得点那意思。

秀贞很高兴地说：

“对了，小桂子，就是这么起的名儿。”

“我怎么没看见桂花树？这里哪棵树是桂花？”我问。

“又不是在这屋子里生的！”秀贞已经在编我的辫子了，辫得那么紧，拉得我的头发根怪痛的，我说：

“为什么用这么大的力气呀？”

“我当时要是有这么大力气倒好了。我生了小桂子，浑身都没劲儿，就昏昏沉沉地睡，睡醒了，小桂子不在我身边了。我睡觉时还听见她哭，怎么醒了就没有了呢？我问，孩子呢？我妈要说什么，我婶儿接过去了，她瞥了我妈一眼，跟我和和气气地说：你的身子微，孩子哭，在你身边吵，我抱到我屋去了。我说，噢。就又睡着了。”秀贞说到这儿停住了，我的辫子已经扎好，她又接着说：

“仿佛我听我妈对我婶说：不能让她知道。真让人纳闷儿，到底是怎么档子事儿？我怎么到这儿就接不下去了呢？是她们把孩子给——？还是扔——绝不能够！绝不能够！”

我已经站起来，脸冲着秀贞看，她皱着眉头，正呆呆地想。她说话常常都会忽然停住了，然后就低声地说“真是让人纳闷儿，到底是怎么档子事儿”的话。她收梳头匣子的时候，我看见我送小桂子的手表在匣子里，她拿起手表，放在掌心里，又说：

“小桂子她爹也有个大怀表，可是死了当了，当了那个表，他才回的家，这份穷，就别提了！我当时就没告诉他我有了，反正他去个把月就回来。他跟我妈说，放心，他回家卖了山底下的白薯地，就到北京来娶我。千山万水，走一趟也不容易，我要是告诉他我有了，不也让他惦记着！你不知道他那情意多深！我也没告诉我妈我有了，说不出口，反正人归了他了，等嫁了再说也不迟……”

“有了什么？”我不明白。

“有了小桂子呀！”

“你不是刚说什么没有了吗？”我更不明白。

“有了，没了，有了，没了，小英子，你怎么跟我乱扰？你听我给你算。”她把我给小桂子的表收起来，然后用手指捏着算给我听：

“他是春天走的。他走的那天，天儿多好，他提着那口箱子，都没敢多看我，他的同乡同学，有几个送他到门口儿的，所以他就没好再跟我说什么。好在头天晚上我给他收拾箱子的时候，我们俩也说得差不多了。他说，惠安的日子很苦，有办法的都到海外谋生去了，那儿的地不肥，不能种什么，白薯倒是种了不少。他们家，常年吃白薯，白薯饭，白薯粥，白薯干，白薯条，白薯片，能叫外头去的人吃出眼泪来。所以，他就舍不得让我这个北边人去吃那个苦头儿。我说可不是，我妈就生我独一个女儿，跟你去吃白薯，她怎么舍得！他说，你是个孝女，我也是个孝子，万一我母亲扣住了我，不许我再到北京来了呢？我说，那我就追你去。

“送他到门口，看他上了洋车，抬头看看天，一块白云彩，像条船，慢慢儿地往天边儿上挪动，我仿佛上了船，心是飘的，就跟没了主儿似的。

“我送他出去，回到屋里来，恶心要吐，头也昏，有点儿后悔没告诉他这件事，想追出去，也来不及了。

“日子一天天地挨，他就始终没回来，我肚子大了，瞒不住我妈，她急得盘问我，让我说不出道不出的，可是我也顾不得害臊了，就告诉了我妈。我说，他总有一天回来，他不回来，我去！我妈听了拿手堵住我的嘴，直说：姑娘，可别这么说了，这份丢人呀！他真要是不回来，咱们可不能嚷嚷出去。就这么，把我送回了海甸。

“小桂子生下来，真不容易，我一点劲儿都没有，就闻着窗户外头那棵桂花树吹进来的一阵阵香气，我心说，生个女的就叫小桂子。接生的姥娘婆叫我咬住了辫子，使劲，使劲，总算落了地，呱呱呱，哭声好大呀！”

秀贞说到这儿，喘了一大口气，她的脸色变青了，故事接不下去，就随便说了，她说：

“小英子，你不心疼你三婶吗？”

“谁是三婶？”

“我呀！你管思康叫三叔，我就是你三婶，你还算不过这账来。叫我一声。”

“嗯——”我笑了，有些难为情，但还是叫了她，“三婶。秀贞。”

“你要是看见小桂子就带她回来。”

“我怎么知道小桂子什么样儿？”

“她呀，”秀贞闭上眼睛想着说，“粉嘟嘟的一个小肉团子，生下来我看见一眼了，我睡昏过去那阵儿，听我妈跟姥娘婆说，瞧！这真是造孽，脖子后头正中间儿一块青

原北平师范大学旧址——教学行政区小灰砖楼 为了海音先生，我和我的助手高萍寻访到了她曾经工作过的北京师大，尽管这里早已不是师大，甚至没人知道这里原是师大。图中所摄，依邓云乡《文化古城旧事》关于师大的描述，让我们认出了许多。“在这组建筑（教学楼）的北面，偏东一组小灰砖楼及平房，是教学行政区，校长室、秘书、教务、庶务等处都在这里。正北平房院落，有小门进出，是女生宿舍。在西北隅，是饭厅、大厨房，饭厅南面……迎面墙上挂红木镜框，里面是碗口大的正楷写着朱柏庐《治家格言》的句子：‘一粥一饭，当思来之不易；半丝半缕，恒念物力维艰’……”（摄于北新华街）

北师大院落，虬枝泡桐 师大历史，可上溯到“京师大学堂师范馆”，那是光绪二十八年（一九〇二年）的事了。邓云乡写道：其后改名“北京高等师范学校”，简称“北京高师”。正名“北平师范大学”是在一九三二年的秋季。首任校长范源濂，字静生，湖南湘阴人，是早期教育家，在美国考察后回来接任。师大校址，在和平门外新华街右侧，是清末的一块空地，琉璃厂窑的旧址。《鲁迅日记》一九三二年十一月二十七日记云：“午后往师范大学讲演。”（摄于北平师范大学旧址）

记，不该来，非要来，让阎王爷一生气用手指头给戳到世上来的！小英子，脖子后头中间有指头大一块青记，那就是我们小桂子，记住没有？”

“记住了。”我糊里糊涂地回答。

那么，她现在问我说的事记住没有，就是这件事吗？我回答她说：“记住了，不是小桂子那块青记的事吗？”

秀贞点点头。

秀贞把桌上的蚕盒收拾好，又对我说：

“趁着他睡觉，咱们染指甲吧。”她拉我到院子里。墙根底下有几盆花，秀贞指给我看，“这是薄荷叶，这是指甲草。”她摘下来了几朵指甲草上的红花，放在一个小瓷碟里，我们就到房口儿台阶上坐下来。她用一块冰糖在轻轻地捣那红花。我问她：

“这是要吃的吗？还加冰糖？”

秀贞笑得呵呵的，说：

“傻丫头，你就知道吃。这是白矾，哪儿来的冰糖呀！你就看着吧。”

她把红花朵捣烂了，要我伸出手来，又从头上拿下一根卡子，挑起那烂玩意儿，堆在我的指甲上，一个个堆了后，叫我张着手不要碰掉，她说等它们干了，我的手指甲就变红了，像她的一样，她伸出手来给我看。

我的手，张开了一会儿，已经不耐烦了，我说：

“我要回家去了。”

“你回家非弄坏了不可，别走，听我给你讲故事儿。”她说。

“我要听三叔的故事儿。”

“小声点儿，”她向我摆手，轻轻地说，“让我先看看他醒过来没有，他要不要喝水。”她进去了一下，又出来了，坐下后，手支撑在大腿上托着下巴颏儿，忽然向着槐树发起呆来。

“说呀！你。”我说。

她惊了一下，“嗯？”好像没听见我的问话，但跟着眼泪掉下来了，“还说呢，人都没影儿了，都没影儿了！老的！小的！”

我一声不响，她自己抽抽噎噎地哭了一会儿，才又大喘了一口气，望我笑了，那泪坑！我就觉得在什么地方看见过秀贞这个人，这个脸。

秀贞用手指抹抹泪，拉过我的手托在她的手上，这样，我就轻松点，不觉得张开染指甲的手很累了。她又侧起身子看着跨院门，好像在张望什么人。她自言自语地说：

“就是这时节他来的，一卷铺盖，一口皮箱，搬进了这小屋里。他身穿一件灰大褂，大襟上别着一支笔。我正在屋里没打扫完呢！爹领他进来的，对他说，‘会馆里正院房子都住满了，陈家二老爷让给您腾出这两间小屋来。’他说：‘好，好，这样就很好。’爹给他打开行李，把那床又薄又旧的棉被摊开，我心想，他怎么过这北京的大冷天？小英子，住在会馆念书的学生，有几个有钱的？有钱的就住公寓去了。我爹常说，想当年，陈家二老爷上京来考举，还带着个小碎催伺候笔墨呢！二老爷中了举，在北京做官，就把这间会馆大翻修了一回，到如今，穷学生上京来念书，都是找着二老爷说话。二老爷说，思康是他们乡里的苦学生，能念出书来，要我们把堆煤的这两间小屋收拾了给他住。

“我还在赶着擦玻璃呢，没正眼看他。我爹对他说，这床被呀！过不了冬。爹真爱管人家的事，他准是不好意思了，就乱嗯嗯啊啊地没说出什么来。爹又问他在哪家学堂，他说在北京大学，喝！我爹又说了，这趟不近，沙滩儿去了！可是个好学堂呀！

“爹帮着他收拾好了那几件破行李，就出去了，临走看见我还在擦玻璃，他说，行啦，姑娘。我跟出来了，回头看了他一眼，谁知道他也正抬眼看我呢！我心里一跳，迈门槛儿差点摔出去！看他那模样儿，两只眼儿到底有多深！你还没看清楚他，他就把你看穿了。回到屋里来，我吃饭睡觉，眼前都摆着他的两只那么样看人的眼睛。这就是缘分，会馆一年到头，来来往往的大学生多得是，怎么我就——我就，……咳！”

秀贞的脸微微红涨，抬起我的手，看我染的指甲干了没有，她轻轻地吹着我的指甲，眼皮垂下来，睫毛像一排小帘子，她问我：

“小英子，你明白了吗？缘分。”她并不一定要我回答她，我也没打算回答她，只是心里想着，这样的长睫毛，有一个人也有的，我想到西厢房我那位爱哭的朋友了。秀贞又接着唠叨：

“我天天给他送开水去，这件事本该是我爹做的。早晚两趟，我们烧了大壶开水，送到各屋里给先生们洗脸、泡茶。爹走惯了正院，就是把跨院给忘了。有时候思康就自己到我们窗根底下来要。‘长班。’他就是这么轻轻叫一声，‘有滚水吗？’爹这才想起来，赶紧给人家补送去。有时爹倒是没等叫就想起来了，可是他懒得再走，就支使我去。一来二去，这件差事——到跨院送开水，仿佛就该是我做的了。

“我送水，一句话也没跟他说过，我进了屋，他在书桌前坐着，就着灯看书呢，写字呢，我就绷着脸儿，打开那茶壶盖儿，刷——的，就听见开水灌进壶的声儿。他胆子小着呢，连眼都不敢斜过来，就那么耷拉着眼皮坐着。有一天，我也好新鲜，往前挪了一步，微探着身子看他写什么，谁知他也扭过头来了，说：‘认得字吗？’我摇了摇头。打这儿起，我们俩就说话了。”

北师大平房宿舍的铁皮水漏 千万别小看了，这普通的水漏管道，用材厚实，方是方，圆是圆，接口严谨，扣环坚牢，历尽百年风吹雨蚀而挺立不毁，配设在这灰色扎实的砖墙上。建筑的一角，折射着一个有大师存在的严谨治学的文化时代。林海音的伴侣夏承楹，在此大学外文系毕业（摄于北新华街）

瓦顶上冬日闲置的花盆 那花盆大约是放在墙根儿底下的。种的什么？“这是薄荷叶，这是指甲草。”——林海音《城南旧事》（摄于西单西绒线胡同）

“那时小桂子在哪儿呢？”我忽然想起这个跟秀贞有关系的人。

“她呀！”秀贞笑了。“还没影儿呢！对了？小桂子到底哪儿去了？你给找着没有？那是我们俩的命根子呀！我还没跟你说完呢，他有一天拉起我的手，就像我这么拉你的手，说：‘跟了我吧！’他喝了点儿酒，我也迷糊了，他喝酒是为的取暖，两间屋子，生一个小火，还时有时无的。那天风挺大，吹得门框直响，我爹跟我娘回海甸取地租去了，让舅妈来陪我，她睡着了，我就溜到这跨院里来。他的脸滚烫，贴着我的脸，他说了好多话，酒气熏着我，我闻也闻醉了。

“他常爱喝点儿酒，驱驱寒意，我就偷偷地买了半空儿花生，送到他的屋里来，给他下酒喝。北风打着窗户纸，响得吹笛儿似的。我握着他的手，暖乎乎的两个人，就不冷了。

“他病了，我一趟趟地跑，可瞒不住我妈了。那天我端着粥，要送给他吃，妈说：‘避点儿嫌疑，姑娘，懂得不懂得？’我一声也没言语。”

我从秀贞的眼里，仿佛看见了躺在屋里床上的思康三叔了；他蓬着头发，喝水也没力气，吃饭也没力气，就哼哼着。

“后来呢？好了没有？”我不由得问。

“不好怎么走的？我可要倒下了！原来是小桂子来了！”

“在哪儿？”我转回头去看跨院门，并没有人影儿。在我的幻想中，跨院门边，应当站着一个女孩子；红花的衫裤，一条像狗尾巴似的黄毛辫子，大大的眼睛，一排小帘子似的长睫毛，一闪一闪的，在向我招手呢！我头有点昏，好像要倒下来，闭了一下眼睛，再睁开，门那边，果然有个影子，越走越近了，那么大的一个东西，原来——原来是秀贞的妈正向我招手，她说：

“秀贞，怎么让小英子在老爷儿里晒着？”

“刚才这地方没太阳。”秀贞说。

“快挪开，这边儿不是有阴凉儿吗？”秀贞的妈过来拉起我。

那幻影在我眼中消失了，我忽然又想起秀贞还没讲完的故事。我说：

“妞儿，不，小桂子在哪儿呢？你刚说的？”

秀贞噗哧笑了，指着她的肚子：

“在这儿呢，还没生呢！”

秀贞的妈是来这院里晾衣服的。一根绳子从树枝上牵到墙那边，她正一件件地往上晾。

秀贞看了说：

“妈，裤子晾在靠墙边儿去吧，思康出来进去的不合适。”

王妈骂说：

绿的婆娑，绿的缠绕 院里，天棚的藤蔓跑到了墙上屋上，墙上的爬山虎跑上了天棚，我就喜欢这乱劲儿，这乱里透着生机，透着淘气，透着要满天满地（摄于宣武椿树南柳巷胡同52号）

沉甸甸活泼泼地生活 山墙影壁上，有数字的圆圈，这自然是孩童投球游戏的靶环；还有靠在一边的杆杆，斜缠着红、白相间布条，是逛庙会买的刀枪；还有修房的木梯、支凉棚的竹竿、装菜的藤筐，以及一直悬挂在过道儿那盏古老的灯伞。生活不容易（摄于机织卫胡同〔原集祉卫、济州卫〕）

儿百年历史的一条胡同，只剩一屋，立此存照。屋前有二株椿树，初露嫩叶

“自兵部洼而西，绒线胡同以南，曰旧帘子胡同、新帘子胡同，曰后细瓦厂、前细瓦厂。再南即为半壁街，其间之小胡同，曰井楼胡同，曰八宝胡同，曰醃子胡同。又西为北新华街，原名东沟沿，西为板桥，北与西长安街相接，南与和平门相接，为民国间新辟之南北通衢。”东沟沿，明（代）旧沟。时有积水，后沟沿填平，辟为北新华街（摄于西旧帘子胡同9号）

“去你的！”

秀贞被她妈妈骂一句，并不生气，又对我说：

“我妈倒是也疼思康，她跟我爹说，咱们没儿子，你这老东西又没念过书，有个读书识字的人在咱们家也是好事儿。我爹这才答应了。我刚才说到哪儿啦！噢，他好了，我不是病了吗？他就说都是他害的我，他不是说要娶我教我念书吗？就在这时候，他家里来了电报，他妈病了，叫他赶快回去。……”

“小英子，”王妈忽然截住秀贞的话，对我说，“你怎么那么爱听她那颠三倒四的废话？也真怪，小孩子都怕她，躲着她，就是你不。”

“妈，你别搅，我这儿还没说完呢！我还有事托小英子呢！”

老王妈不理她，只顾对我说：

“小英子，该回去了，刚才我听见宋妈在胡同里叫你，我不敢说你在这儿。”

老王妈说完拿着空盆走了。秀贞看见她妈妈走出了跨院门，才又说：“思康这一去，有……”她掰着手指头算：“有一个多月了，有六年多了，不，还有一个多月就回来，不，还有一个月我就生小桂子了。”

不管是六年，是一个多月，秀贞跟我一样的算不清楚。她这时把我的手拿起来看看，就把指甲上的干烂花剔开，哟，我的指甲都是红的了！我高兴极了，直笑直笑，摆弄我的手。

“小英子，”她又低声说，“我有件事托你，看见小桂子就叫她来，一块儿找她爹去，我们要是找到她爹，我病就好了。”

“什么病？”我看着秀贞的脸。

“英子，人家都说我得了疯病，你说我是不是疯子？人家疯子都满地捡东西吃，乱打人，我怎么会是疯子，你看我疯不疯？”

“不，”我摇摇头，真的，我只觉得秀贞那么可爱，那么可怜，她只是要找她的思康跟妞儿——不，跟小桂子。

“他们怎么都走了不回来了呢？”我又问。

“思康准是让他妈给扣住了。小桂子呢，我也纳闷是怎么档子事儿，没在海甸，没在我婶儿屋里。我一问，妈急了，说：‘扔啦！留那么一个南蛮子种儿干吗？反正他也不回来了，坑人！’我一听，登时就昏倒了，醒了，他们就说我是疯子。小英子，我千托万托你，看见小桂子就带她来，我什么都预备好了。回去吧。”

我听愣了，脑子里好像有一幅画，慢慢越张越大，我的头也有点不舒服似的，我一边答应：“好好，好好。”一边跑出跨院，跑出惠安馆，一路踢着小石块，看着我手上的红指甲，回到了家。

四

“看你脸晒得那么红！快来吃饭。”妈妈看见我满头大汗地回来，并没有太责备我。

但是我只想喝水，不想吃饭，我灌了几杯凉开水下去，坐到饭桌上，喘着气，拿起筷子，可是看我自己的指甲玩。

“谁给你染的？”妈问。

“小妖精，小孩子染指甲，做唔得！”爸爸也半生气地说。

“谁给你染的？”妈又问。

“嗯——”我想了一下。“思康三婶。”我不敢，也不肯说秀贞是疯子。

“跑到外面去认什么阿叔阿婶！”妈给我夹了一碟子菜，又对我说，“你叔叔说，还有一个月就要考小学了，你到底会数到什么数了？算算看，不会数就考不上的。”

“一,二,三……十八,十九,二十,二十六……”我的脑筋实在有些糊涂，只想扔下筷子去床上躺一会儿，但是我不肯这样做，因为他们会说我有病了，不许我出去。

“乱数！”妈瞪了我一眼，“听我给你算，二俗，二俗录一,二俗录二,二俗录三,二俗录素，二俗录五，……”

在旁边伺候盛饭的宋妈首先忍不住笑了，跟着我和爸

晾衣服　多有缘分，画面碰上了她的文字："一根绳子从树枝上牵到墙那边，她正一件件地往上晾。"——林海音《城南旧事》（摄于西旧帘子胡同）

烟雨京华　（摄于正阳门箭楼东侧）

爸都哈哈大笑起来，我趁此扔下筷子，说：

“妈，你的北京话，我饭都吃不下了，二十，不是二俗；二十一，不是二俗录一；二十二，不是二俗录二……”

妈也笑了，说：

“好啦好啦，不要学我了。”

我没有吃饭，爸妈都没注意。大概刚才喝了凉开水，人好些了，我的头已经不晕了。爸妈去睡午觉，我走到院子里，在树下的小板凳上坐着，看那一群被放出来的小油鸡。小油鸡长得很大了，正满地啄米吃。树上蝉声“知了知了”地叫，四下很安静。我捡起一根树枝子在地上画，看见一只油鸡在啄虫吃，忽然想起在惠安馆捉的那瓶吊死鬼忘记带回来。

我虽然这样想着，但是竟懒得站起身来，好像要困了，不由得闭上了眼睛，随着俯下身子来，两手抱住头，深深地埋在大腿上。

在这像睡不睡的梦中，我的眼前一片迷乱；在跨院的树下捉蚕，吊死鬼在玻璃瓶里蠕动着，一会儿又变成了秀贞屋里桌上的蚕，仰着头在吐丝，好像秀贞把蚕放在胳膊上爬，一发痒，猛睁开眼抬起头来看，原来是两只苍蝇在我的胳膊上飞绕。我扬扬手轰开苍蝇，又埋头睡下了。这回是一盆凉水，顺着我的脊背浇下来，凉飕飕的，我抱紧了头，不行，又是一盆凉水从脖子上灌下来，又凉又湿，我说冷啊！旁边有人咯咯地笑，我挣扎着站起来，猛下子醒了，睁开眼，闹不清这是什么时候了？因为天好像一下子暗了，记得我坐在这里的时候是有太阳光的呀！站在我面前的是妞儿，她在笑，我还觉得脊背是湿的冷的，用手背向后面去摸，却又不是湿的。但身上还是有些凉意，不禁打了一个哆嗦，随着又打了两个喷嚏，妞儿笑容收敛了，说：

"你怎么了？傻乎乎的，睡觉直说梦话。"

我好像还没醒过来，要站不住，便赶快又坐下来。这时雷声响了，从远处隆隆地响过来。对面的天色也像泼了墨一样的黑上来，浓云跟着大雷，就像一队黑色的恶鬼大踏步从天边压下来。起了微微的风，怪不得我身上觉得凉。我不由得问妞儿说：

"你冷不冷？我怎么这么冷。"

妞儿摇摇头，惊疑地看着我，问：

"你现在的样子真特别，好像吓着了，还是挨打了？"

"没有，没有，"我说，"我爸爸只打我手心，从来不会像你爸爸，打你那么凶。"

"那你是怎么了呢？"她又指指我的脸，"好难看啊！"

"我一定是饿的，中午没吃饭。"

这时候雷声更大了，好大的雨点滴落下来，宋妈到

（上）秋雨秋叶 北海，是元、明时代皇城内苑太液池的北部，一九二五年正式辟为公园（摄于北海琼华岛）

（中）远去了，我望着；看不见影了，我，仍望着 “长亭外，古道边，芳草碧连天，晚风拂柳笛声残，夕阳山外山。天之涯，地之角，知交半零落，一觚浊酒尽余欢，今宵别梦寒。”——李叔同词曲《送别》（摄于西郊八角村）

（下）古道关隘 “相逢狭路间，道隘不容车。”——古乐府《相逢行》（摄于香山）

院子来收衣服，把小鸡赶到西厢房里。我和妞儿也跟着进来。宋妈把小鸡扣好在鸡笼里，就又跑出去，嘴里还说着：

“要下大雨了，妞儿回不去了。”

宋妈出去了以后，可不是雨立刻下大了。我和妞儿倚着屋门看下雨。雨声那样大，哗哗巴巴地打落在砖地上，地上的雨水越来越多了，院子犄角虽然有一个沟眼，但是也挤不下那么多的雨水。院子的水涨高了，漫过了较低的台阶，水溅到屋门来，溅到我们的裤脚上了，我和妞儿看这凶狠的雨水看呆了，眼睛注视着地上，一句话也不讲。忽然妈妈在北屋的窗内向我说话又扬手，话我听不见，扬手的意思是叫我们不要站在门口被雨溅湿了。我和妞儿便依着妈妈的手势进屋来，关上了门，跑到窗前向玻璃外面看。

“不知道要下多久？”妞儿问。

“你可回不去了。”我说完，连着又打了两个喷嚏。

我望着屋里，想找个地方倒下来，最好有一床被让我卧在里面。屋里虽然有个旧床铺，但是床上堆了箱子和花盆，而且满是灰尘。我受不住了，不由得走向床那边去，靠在箱子上。忽然想起妞儿存在空箱里的两件衣服，打开拿了出来。

妞儿也过来了，她问：

“你要干吗？”

“帮我穿上，我冷了。”我说。

妞儿笑笑说：

“你好娇啊！下一点雨，就又打喷嚏，又要穿衣服的。”

她帮我穿上一件，另一件我裹在腿上。我们坐在一块洗衣板上，挤在墙角，这样我好像舒服一些。但是妞儿却心疼被我裹在腿上的衣服，说：

“我就这两件衣服，别给我拉扯坏了呀！”

“小器鬼，你妈给你做了好多衣服呢！借我一件都舍不得！”也许我的头又发晕，不知怎么，嘴里说妞儿的妈，心里可想到秀贞屋里炕桌上一包小桂子的衣服。

妞儿瞪大了眼，指着她自己的鼻子说：

“我妈？给我做好多衣服？你睡醒了没有？”

“不是，不是，我说错了，”我仰起头，靠在墙上，闭上眼，想了一下才说，“我是说秀贞。”

“秀贞？”

“我三婶。”

“你三婶，那还差不多，她给你做了好多衣服，多美呀！”

“不是给我做，是给小桂子做的。”我转过头，对着妞儿的脸看，她的一个脸，被我看成两个脸，两个脸又合成一个脸。是妞儿，还是小桂子，我分不清了，我心里想的，有时不是我嘴里说的，我的心好像管不住我的嘴了。

协和医院的大门一侧兼传达室 地上石杵圆朴硕大，用以护墙；壁灯，黑褐铸铁的框架，固住那透光的玻璃，挺像不畏风雨的马灯在黑夜为患病求医的人照亮。协和医院为协和医学院的教学医院，名蜚中外。一九〇六年，美英六个宗教团体在北京创办了协和医学院，一九一五年由美国洛克菲勒驻华的基金会接办，改名协和医科大学，一九二九年更名协和医学院，并获中国政府教育部认可立案（摄于东单协和医院大门）

协和医院大门的把环 把环拙重，我掀动了一下，相信它还可以在这里站岗百年。环纹雕刻的，是丰满的谷粒还是繁茂的叶片？环的底部又有交叉的系带，是花环抑或是花圈？也许它是这些，又不是这些，它就是一个你永远猜不出的象征——安置在这所中国最好的医院的大门上。透过橄榄色厚重的栅栏大门，我们看见了院内的石阶，宽平的，灰白色的。是不是“一九三三年五月十三日，含英和承楹在东单三条的协和医院礼堂结婚”，新娘新郎就是从这台阶走上去的呢？没错！看那台阶，至今还染着和煦的阳光（摄于东单协和医院大门）

“干吗这么瞪我？”妞儿惊奇地把头略微闪躲了我一下。

“我在想一个人，对了，妞儿，讲讲你爸跟你妈的故事吧！”

“他们有什么可讲的！”妞儿撇了一下嘴，“我爸爸在前清家有皇上的时候，不用做事，一天到晚吃喝玩乐，后来前清家没有了，他就穷了，又不会做事，把钱花光了，就靠拉胡琴赚钱，他教我唱戏，恨不得我一下子就唱得跟碧云霞那么好，那么赚钱。——嘿！小英子，我现在上天桥唱戏去了，围一圈子人听，唱完了我就捧着个小箩筐跟人要钱，一要钱人都溜了，回来我爸爸就揍我！他说，给钱的都是你爷爷，你得摆个笑脸儿，瞧你这份儿丧！说着他就拿棍子抡我。”

“你说的那个碧云霞也在天桥唱呀？”

“哪儿呀！人家在戏园子里唱，城南游艺园，离天桥也不远，听碧云霞的才都是大爷哪！可是我爸爸常说，在戏园子唱的，有好些是打天桥唱出来的。他就逼着我学，逼着我唱。”

“你不是也很爱唱吗？怎么说是他逼的？”

“我爱随我自己，愿意唱就唱，愿意给谁听就给谁听，那才有意思。就比如咱们俩在这屋里，我唱给你听。”

是的，我想起刚认识妞儿的那天，油盐店的伙计要她唱，她眼睛含着泪的那样子。

“可是你还得唱呀！你不唱赚不了钱怎么办！”

“我呀，哼！”妞儿狠狠地哼了一声，“我还是要找我亲爹亲妈去！”

“那么你怎么原来不跟你亲爹亲妈在一起呢？”这是我始终不明白的一件事。

“谁知道！”妞儿犹豫着，要说不说的样子。外面的雨还是那么大，天像要塌下来，又像天上有一个大海的水都倒到地上来。

“有一天，我睡觉了，听我爸跟我妈吵架。我爸说：‘这孩子也够拗的，嗓门儿其实挺好，可是她说不玩就不玩，可有什么办法呢！’我那瘸子妈说：‘你越揍她，越不管事儿。’我爸说：‘不揍她，我怎么能出这口气！捡来的时候还没冬瓜大，我捧着抱着带回家，而今长得比桌子高了，可是不由人管了。’我妈说：‘你当初把她捡回来就错了主意，跟亲生亲养的到底不一样，说老实话，你也没按亲生的那么疼她，她也不能拿你当亲爹那么孝顺。’我爸叹了口气，又说：‘一晃儿五六年了！我那天也真邪行，走到齐化门脸儿屎急了。’我妈说：‘是呀，你说一大早儿捡点煤核来烧，省得让人看见怪寒蠢的，每天你不都是起来先出恭后才漱口洗脸吗？那天你忙得没上茅房，饶着煤核没捡回来，倒捡了个不知谁家私生的小崽子来。’我爸又说：‘我想着找城根底下蹲蹲吧，谁知道就看见个小包袱了呢！我先还以为我要发邪财，打开一看，敢情是她，活玩意儿，小眼还咕碌咕碌直转哪！’我妈妈说：‘哼！你而今打算在她身上发财，赶明儿唱得跟碧云霞那么红，可不易。’……”

我又闭上眼睛，仰头靠着墙听妞儿絮絮叨叨地说，我好像听过这故事，是谁讲的呢？还说大清早就把那孩子裹包裹包扔到齐化门城根去？也许我是做梦，我现在常常做梦，宋妈说我白天玩疯了晚饭又吃撑了，才又咬牙又撒癔症的。是吗？我就闭着眼问妞儿：

“妞儿，你跟我说了好几遍这故事啦！”

“胡说，我跟谁也没说过，我今儿头一回跟你说。你有时候糊里糊涂的，还说要上学呢！我瞧你考不上。”

“可是，我真是知道的呀！你生的那时候，正是青草要黄了，绿叶快掉了，那不冷不热的秋天，可是窗户外头倒是飘进来一阵子桂花的香气。……”

妞儿推推我，我睁开眼，她奇怪地问：

“你在说什么？是不是又睡着了撒癔症？”

“我刚才说了什么？”我有些忘了，刚才也许是在梦中。

妞儿摸摸我的头，我的胳膊，她说：“你好烫啊！衣服穿多了吧！把我的衣服脱下来吧！”

医院走廊的门半开着，走出来的将是谁？“一九四一年十一月二十五日，含英在协和医学院生下她和承楹的第一个孩子，一个健康的男婴。孩子一生下来，夏承楹立即从医院打电话回家禀告母亲，老太太马上叫人点炷香，朝着院子谢菩萨保佑……”“男婴依夏家‘祖’字辈排，取名祖焯”——夏祖丽《林海音传》（摄于东单协和医院大门）

“哪里热，我心里好冷啊！冷得我直想打哆嗦！”我说着，看自己的两条腿，果然抖起来。

妞儿看看窗外说：

“雨停了，我该回去了。”

她要站起来，我又拉住她，搂住她的脖子说：

“我要看你后脖子上的那块青记，小桂子，你妈说你后脖上有块青记，让我找找……”

妞儿略微地挣开我，说：“你怎么今天总说小桂子小桂子的？你现在这样儿，就像我爸喝醉了说胡话一样！”

“是呀！你爸爸就爱喝口酒，冬天为的驱驱寒意，那天风挺大，你妈给他打了点儿酒又买了半空儿花生。……”

我糊里糊涂地说着，拉开妞儿那条狗尾巴小辫儿，可不是，可不是，恍恍惚惚的，我看见在那杂乱的黄头发根里面，中间是有一块指头大的青记。我浑身都抖起来了。

妞儿把她的脸贴在我的脸上，惊奇地说：

“你怎么啦？你的脸好热啊！都红了，是不是病了？”

“没有，我没病。”我这时精神起来了，但是妞儿把我搂在她的怀里，我正好看到妞儿尖尖的下巴。她低下头来，一对大眼睛里，忽然含满了泪。我也好像有什么委屈，实在我是觉得头发重，支持不住了。妞儿这么搂着我，摸抚着我，一种亲爱的感觉，使我流出泪来了。妞儿说：

庭院 “我们的婚礼是在协和医院礼堂举行的。那里的气氛我最喜欢。礼堂的台前阶层上，装饰着一列列的花草，一层麦冬草，一层各色的花。一条长长的红地毯直通到台上去……”——林海音《婚姻的故事》（摄于协和医院一庭院）

东单三条北京协和医院的屋顶 “飞机在四方的北平城绕了一个圈子，她最后一瞥协和医院的绿琉璃瓦屋顶，‘心颤抖着，是一种离开多年抚育的乳娘的滋味。’”——夏祖丽《林海音传》（摄于协和医院内）

旧建筑 元代，这附近是金水桥故道，明代为一条南北向的排水沟，统称河槽、沟沿。一九二一年辟筑成路，抗战后更名佟麟阁路（摄于佟麟阁路）

阳平会馆戏楼 （摄于前营〔原孝达〕胡同）

“英子，好可怜，身上这么烫！”

我也说：

“你也好可怜，你的亲爹，亲妈——啊，妞儿，我带你找你的亲妈去，你们再一块儿去找你亲爹。”

“上哪儿找去？你睡觉吧，我怕你，你别瞎说了。”说着，她又搂紧我，拍哄我。但是我听了她的话，立刻从她怀里挣扎起来，喊着说：

“我不是瞎说！我是知道你亲妈在哪儿，就在不远，”我又搂着她的脖子在她耳旁小声说，“我一定要带你去，你亲妈说的，教我看见你就带你去，就是，不错，脖子后面有块青记的嘛！”

她又奇怪地望着我，好一会儿才说：

“你的嘴好臭，一定是吃多了上火。可是，真的有这回事儿吗！……你说我亲妈？”

我看着她那惊奇的眼睛，点点头。她的长睫毛是湿的，我一说，她微笑了，眼泪流到泪坑上！我觉得难过，又闭上眼，眼前冒着金星，再睁开眼，她变成秀贞的脸了，我抹去了眼泪再仔细看，还是妞儿的。我这时又管不住我的嘴了，我说：

“妞儿，晚上你吃完饭来找我，咱们在横胡同口见面，我就带你上秀贞那儿去，衣服你也不用带，她给你做了一大包袱，我还送了你一只手表，给你看时候。我也要送秀点一点东西。”

这时我听见妈在叫我。原来雨停了，天还是阴的，妞儿说：

“你妈叫你呢！咱们先别说了，那就晚上见吧！”说着她就站起身，匆匆地推门出去了。

我很高兴，所以有一股力气站起来了，脱下妞儿的衣服，扔在鸡笼上。我推门出去，院子里一阵凉风吹着我，地上满是水，妈妈叫我顺着廊檐走，可是我已经蹚水过来了。妈妈拉起我的手，刚想骂我吧，忽然她又两手在我手上，身上，头上乱按，惊慌地说：

“怎么浑身这样烧，病了，看是不是？中午从大太阳底下晒回来，脸通红，刚才又淋了雨，现在又蹚水。水，总是要玩水！去躺下吧！”

我也觉得浑身没有力气了，随着妈妈把我拖到小床来。她给我脱了湿的鞋，换了干的衣服；把我安置在床上躺下来，裹在软绵绵的被里，我的确很舒服，不由得闭上眼睛就睡着了。

醒来的时候，觉得热了，踢开了被。这时屋里漆黑，隔着布帘子空隙，可以看见外屋已经点了灯。我忽然想起一件要紧的事，大声叫：

“妈，你们是不是在吃饭？”

“这样混，她居然要吃饭呢！”是爸爸的声音。跟着，

取名笤帚胡同清真礼拜寺，地界属扬威胡同 （摄于茶儿胡同）

店铺——如果可以想象当年的话 （摄于棕树斜街）

妈妈进来了，端进来煤油灯放在桌上。我看见她的嘴还动着，嘴唇上有油，是吃了“回肉”吗？

妈妈到床前来，吓唬着我说：“你爸要打你了，玩病了还要吃。”

我急了，说：

“我不是要吃饭，我今天根本一天没吃饭呀！就是问问你们吃饭了没有？我还有事呢！”

“鬼事！”妈妈把我又按着躺下，说，“身上还这么热，不知道你烧到多少度了，吃完饭我去给你买药。”

“我不吃药，你给我药吃，我就跑走，你可别怪我！”

“瞎说！等一会儿宋妈吃完饭，叫她给你煮稀粥。”

妈不理会我的话，她说完就又回外屋去吃饭了。我躺在床上，心里着急，想着和妞儿约会好吃完饭在横胡同口见面，不知道她来了没有？细听外面又有淅淅沥沥的雨声，虽然不像白天那样大，可是横胡同里并没有可躲雨的地方，因为整条胡同都是人家的后墙。我急得胸口发痛，揉搓着，咳嗽了，一咳嗽，胸口就像许多针扎着那么痛。

妈妈这时已经吃完饭，她和爸爸进来了。我的手按着嘴唇，是想用力压着别再咳嗽出来，但是手竟在嘴上发抖；我发抖，不是因为怕爸爸，我今天从下午起一直在抖，腿在抖，手也抖，心也抖，牙也抖。妈妈这时看见我发抖的样子，拿起我放在嘴唇上的手，说：

"烧得发抖了，我看还是给你去请趟山本大夫吧！"

"不要！不要那个小日本儿！"

爸爸这时也说：

"明天早晨再说吧，先用冰毛巾给她冰冰头管事的。我现在还要给老家写信，赶着明天早上发出去呢！"

宋妈也进来看我了。她向妈妈出主意说：

"到菜市口西鹤年堂家买点小药，万应锭什么的，吃了睡个觉就好。"

妈妈很听话，她向来就听爸爸的话，也听宋妈的话，所以她说：

"那好嘛，宋妈，我们俩上街去买一趟。英子，乖乖地躺着，吃了药赶快好了好上学。等着，我还顺便到佛照楼带你爱吃的八珍梅回来。"

现在，八珍梅并不能打动我了，我听妈和宋妈撑了伞走了，爸爸也到书房去了，我满心想着和妞儿的约会。她等急了吗？她会失望地回去了吗？

我从被里爬出来，轻手轻脚地下了地，头很重，又咳嗽了，但是因为太紧张，这回并没有觉到胸口痛。我走到五屉橱的前面站住了，犹豫了一会儿，终于大胆地拉开了妈妈放衣服的那个抽屉，在最里面，最下面，是妈妈的首饰匣。妈妈开首饰箱只挑爸爸不在家的时候，她并不瞒我和宋妈的。

门板 （摄于西茶食胡同）

几只竹筐，盛垃圾的，到点儿，有清洁车给弄走 （摄于西城翠花街）

首饰匣果然在衣服底下压着，我拿了出来打开，妈妈新打的那只金镯在里面！我心有点儿跳，要拿的时候，不免向窗外看了一眼，玻璃窗外黑漆漆的，没有人张望，但是可以照到我自己的影子。我看见我怎样拿出金镯子，又怎样把首饰匣放回衣服底下，推合了抽屉，我的手是抖的。我要给秀贞她们做盘缠，妈妈说，二两金子值好多好多钱，可以到天津，到上海，到日本玩一趟，那么不是更可以够秀贞和妞儿到惠安去找思康三叔吗？这么一想，我觉得很有理，便很放心地把金镯子套在我的胳膊上面了。

我再转过头，忽然看玻璃窗上，我的影子清楚了，不！吓了我一跳，原来是妞儿！她在向我招手，我赶快跑了出去，妞儿头发湿了，手上也有水，她小声地对我说：

“我怕你真在横胡同等我，我吃完饭就偷偷跑出来了。我等了你一会儿，想着你不来了，我刚要回去，听见你妈跟宋妈过去了，好像说给谁买药去，我不放心你，来看看，你们家的大门倒是没拴上，我就进来了。”

“那咱们就去吧！”

“上哪儿去？就是你白天说的什么秀贞呀？”

我笑着向她点了头。

“瞧你笑得怕人劲儿！你病糊涂了吧！”

“哪里！”我挺起胸脯来，立刻咳嗽了，赶快又弯下身子来才好些，我把手搭在她的肩上说，“你一去就知道了，她多惦记你啊！比着我的身子给你做了好些衣服。对了，妞儿，你心里想着你亲妈是什么样儿？”

“她呀，我心里常常想，她要是真的思念我，也得像我这么瘦，脸是白白净净的，……”

“是的，是的，你说的一点儿都没错儿。”我俩一边说着，一边向门外去，门洞黑乎乎的，我摸着开了门，有一阵风夹着雨吹进来，吹开了我的短褂子，肚皮上又凉又湿，我仍是对她说：

“你妈妈，她薄薄的嘴唇，一笑，眼底下就有两个泪坑，一哭，那眼睫毛又湿又长，她说：小英子，我千托万托你，……”

“嗯。”

“她说，小桂子可是我们俩的命根子呀！……”

“嗯。”

“她第一天见着我，就跟我说，见着小桂子，就叫她回来。饭不吃，衣服也不穿，就往外跑，急着找她爹去……”

“嗯。”

“她说，叫她回来，我们娘儿俩一块儿去，就说我不骂她……”

“嗯。”

我们俩已经走到惠安馆门口了，妞儿听我说，一边“嗯，嗯”地答着，一边她就抽搭着哭了，我搂着她，又说：

“她就是……”我想说疯子，停住了，因为我早就不肯称呼她是疯子了，我转了话口说，“人家都说她想你想疯啦！妞儿，你别哭，我们进去。”

妞儿这时好像什么都不顾了，都要我给她出主意，她只是一边走，一边靠在我的肩头哭，她并没有注意这是什么地方。

上了惠安馆的台阶，我轻轻地一推，那大门就开了，秀贞说，惠安馆的大门，前半夜都不拴上，因为有的学生回来得很晚。一扇门用杠子顶住，那一半就虚关着。我轻声对妞儿说：

“别出声。”

我们轻轻地，轻轻地走进去，经过门房的窗下，碰到了房檐下的水缸盖子，有了响，里面是秀贞的妈问：

“谁呀？”

“我，小英子！”

“这孩子！黑了还要找秀贞，在跨院里呢！可别玩太晚了，听见没有？”

“嗯。”我答应着，搂着妞儿向跨院走去。

我从来没有黑天以后来这里，推开跨院的门，吱扭的一声响，像用一根针划过我的心，怎么那么不舒服！雨地里，我和妞儿迈步，我的脚碰着一个东西，低头看是我早晨捉的那瓶吊死鬼，我拾起来，走到门边的时候，顺手把它放在窗台上。

里屋点着灯，但不亮。我开开门，和妞儿进去，就站在通里屋的门边。我拉着妞儿的手，她的手也直抖。

秀贞没理会我们进来，她又在床前整理那口箱子，背向着我们，她头也没回地说：

"妈，您不用催我，我就回屋睡去，我得先把思康的衣服收拾好呀！"

秀贞以为进来的是她的妈妈，我听了也没答话，我不知道怎么办好了，我想说话，但抽了口气，话竟说不出口，只愣愣地看着秀贞的后背，辫子甩到前面去了，她常常喜欢这样，说是思康三叔喜欢她这样打扮，喜欢她用手指绕着辫梢玩的样子，也喜欢她用嘴咬辫梢想心思的样子。

大概因为没有听见我的答话吧？秀贞猛地回转身来"哟"地喊了一声，"是你，英子，这一身水！"她跑过来，妞儿一下子躲到我身后去了。

秀贞蹲下来，看见我身后的影子，她瞪大了眼睛，慢慢地，慢慢地，侧着头向我身后看，我的脖子后面吹过来一口一口的热气，是妞儿紧挨在我背后的缘故，她的热气一口比一口急，终于哇的一声哭出来，秀贞这时也哑着嗓

（上）木电线杆子在京城已是稀物 （摄于抄手胡同）

（中）老了 （摄于大栅栏珠宝市大街某院夹道）

（下）一堆生火做饭的家伙——过日子就是这么回事 （摄于葡萄院）

有水缸的胡同　先前，胡同、庭院都有水缸，注满水，一是自家喝用，二是扫地泼街。“黎明即起，洒扫庭院”，这可不是说给别人听的，我们的上辈人真是这样勤劳啊。生活固然贫穷些，但里里外外干净、利落，活得像个样儿。现在，和先辈比勤劳，颇有汗颜。别疏忽，您看那唯一可做记忆的水缸，还是倒扣着的（摄于西松树胡同28号）

院门，斜对着别院的院门　木框的二道院门，不显眼；萧疏的枝条，潜发苞芽；还有透空的墙部，似花瓣形，似铜钱儿形，其实就是曲状的灰瓦片被砌在里面，让您看出人的经心（摄于西长安街贤效里〔原成公府夹道、贤孝里〕）

子喊叫了一声：

“小桂子！是我苦命的小桂子！”

秀贞把妞儿从我身后拉过去，搂起她，一下就坐在地上，搂着，亲着，摸着妞儿。妞儿傻了，哭着回头看我，我退后两步倚着门框，想要倒下去。

过了好一会儿，秀贞才松开妞儿，又急急地站起来，拉着妞儿到床前头去，急急地说：

“这一身湿！换衣服，咱们连夜地赶，准赶得上，听！”是静静的雨夜里传过来一声火车的汽笛声，尖得怕人。秀贞仰头听着想了一下又接着说：“八点五十有一趟车上天津，咱们再赶天津的大轮船，快快快！”

秀贞从床上拿出包袱，打开来，里面全是妞儿，不，小桂子，不，妞儿的衣服。秀贞一件一件给妞儿穿上了好多件。秀贞做事那样快，那样急，我还是第一回看见。她又忙忙叨叨的从梳头匣子里取出了我送给小桂子的手表，上了上弦给妞儿戴上。妞儿随秀贞摆弄，但眼直望着秀贞的脸，一声也不响，好像变呆了。我的身子朝后一靠，胳膊碰着墙，才想起那只金镯子。我撩起袖子，从胳膊上把金镯子褪下来，走到床前递给秀贞说：

“给你做盘缠。”秀贞毫不客气地接过去，立刻套在她的手腕上，也没说声谢谢，妈妈说人家给东西都要说谢谢。

秀贞忙了好一阵子，乱七八糟的东西塞了一箱子，然后提起箱子，拉着妞儿的手，忽然又放下来，对妞儿说："你还没叫我呢，叫我一声妈。"秀贞蹲下来，搂着妞儿，又扳过妞儿的头，撩开妞儿的小辫子看她的脖子后头，笑说："可不是我那小桂子，叫呀！叫妈呀！"

妞儿从进来还没说过一句话，她这时被秀贞搂着，问着，竟也伸出了两手，绕着秀贞的脖子，把脸贴在秀贞的脸上，轻轻难为情地叫：

"妈！"

我看见她们两个人的脸，变成一个脸，又分成两个脸，觉得眼花，立刻闭住眼扶住床栏，才站住了。我的脑筋糊涂了一会儿，没听见她们俩又说了什么，睁开眼，秀贞已经提起箱子了，她拉起妞儿的手，说："走吧！"妞儿还有点认生，她总是看着我的行动，伸出手来要我，我便和她也拉了手。

我们轻手轻脚地走出去，外面的雨小些了，我最后一个出来，顺手又把窗台上的那瓶吊死鬼拿在手里。

出了跨院门，顺着门房的廊檐下走，这么轻，脚底下也还是噗吱噗吱的有些声音。屋里秀贞的妈妈又说话了：

"是英子呀？还是回家去吧！赶明再来玩。"

"嗳。"我答应了。

走出惠安馆的大门，街上漆黑一片，秀贞虽然提着箱子拉着妞儿，但是她们竟走得那样快，秀贞还直说：

“快走，快走，赶不上火车了。”

出了椿树胡同口，我追不上她们了，手扶着墙，轻轻地喊：

“秀贞！秀贞！妞儿！妞儿！”

远远的有一辆洋车过来了，车旁暗黄的小灯照着秀贞和妞儿的影子，她俩不顾我还在往前跑。秀贞听我喊，回过头来说：“英子，回家吧，我们到了就给你来信，回家吧！回家吧……”

声音越细越小越远了，洋车过去，那一大一小的影儿又蒙在黑夜里。我扒着墙，支持着不让自己倒下去，雨水从人家的房檐直落到我头上，脸上，身上，我还哑着嗓子喊：

“妞儿！妞儿！”

我又冷，又怕，又舍不得，我哭了。

这时洋车从我的身旁过去，我听车篷里有人在喊：

“英子，是咱们的英子，英子……”

啊！是妈妈的声音！我哭喊着：

“妈啊！妈啊！”

我一点力气没有了，我倒下去，倒下去，就什么都不知道了。

五

远远的，远远的，我听见一群家雀儿在叫，吱吱喳喳、吱吱喳喳。那声音越来越近了……不是家雀儿，是一个人，那声音就在我耳边。她说：

"……太太，您别着急了，自己的身子骨也要紧，大夫不是说了准保能醒过来吗？"

"可是她昏昏迷迷的有十天了！我怎么不着急！"

我听出来了，这是宋妈和妈妈在说话。我想叫妈妈，但是嘴张不开，眼睛也睁不开，我的手，我的脚，我的身子，在什么地方哪？我怎么一动也不能动，也看不见自己一点点？

"这在俺们乡下，就叫中了邪气了。我刚又去前门关帝庙给烧了股香，您瞧，这包香灰，我带回来了，回头给她灌下去，好了您再上关帝庙给烧香还个愿去。"

妈妈还在哭，宋妈又说：

"可也真怪事，她怎么一拐能拐了俩孩子走？咱们要是晚回来一步，英子就追上去了，唉！越想越怕人，乖乖巧巧的妞儿！唉！那火车，俩人一块儿，唉！我就说妞儿长得俊倒是俊，就是有点薄相……"

"别说了，宋妈，我听一回，心惊一回。妞儿的衣服呢？"

"鸡笼子上扔的那两件吗？我给烧了。"

“在哪儿烧的？”

“我就在铁道旁边烧的。唉！挺俊的小姑娘！唉！”

“唉！”

两个人唉声叹气的，停了一会儿没说话。

等再听见茶匙搅着茶杯在响，宋妈又说话了：

“这就灌吧？”

“停一会儿，现在睡得挺好，等她翻身动弹时再说。——家里都收拾好了？”妈问。

“收拾好了，新房子真大，电灯今天也装好了，这回可方便喽！”

“搬了家比什么都强。”

“我说您都不听嘛！我说惠安馆房高墙高，咱们得在门口挂一个八卦镜照着它，你们都不信。”

“好了，不必谈了，反正现在已经离开那倒霉的地方就是了。等英子好了，什么也别跟她说，回到家，换了新地方，让她把过去的事儿全忘了才好，她要问什么，都装不知道，听见了没有？宋妈。”

“这您不用嘱咐，我也知道。”

他们说的是什么，我全不明白，我在想，这是怎么回事儿？有什么事情不对了吗？我想着想着觉得自己在渐渐地升高，升高，我是躺在这里，高、高、高，鼻子要碰到屋顶了，“呀！”我浑身跳了一下，又从上面掉下来，一惊

门簪：康宁（篆书） 对门框来讲，门簪是有结构作用的装饰物。门簪朝外一面，做成圆形、方形、曲线多边形等断面，加木雕。木雕题材有花卉、古祥文字、汉瓦当寿字图案等（摄于南长街大宴乐胡同〔西大街三条并入〕7号）

壁影（摄于狮子胡同）

疑就睁开了眼睛，只听宋妈说：

“好了，醒了！”

妈妈的眼睛又红又肿，宋妈也含着眼泪。但是我仍说不出话，不知怎么样才可以张开嘴。这时妈妈把我搂抱起来，捏住我的鼻子，我一张嘴，一匙水就一下给我灌了下去，我来不及反抗，就咽下了，然后我才喊：

“我不吃药！”

宋妈对妈说：

“我说灵不是？我说关帝老爷灵验不是？喝下去立刻会说话。”

妈给我抹去嘴边的水，又把我弄躺下来。我这时才奇怪起来，看看白色的屋顶，白色的墙壁，白色的门窗和桌椅，这是什么地方？我记得我是在一个？……我问妈妈说：

“妈，外面在下雨吗？”

“哪儿来的雨，是个大太阳天呀！”妈说。

我还是愣愣地想，我要想出一件事情来。

这时宋妈挨到我身边来，她很小心地问我：

“认得我吗？英子！”

我点点头：“宋妈。”

宋妈对妈笑笑。妈又说：

“你发烧病了十天了，爸爸和妈妈把你送到医院来住，等你好了，我们就回到新的家去，新的家还装了电灯呢！”

“新的家？”我很奇怪地问。

“新的家，是呀！我们的新家在新帘子胡同，记着，老师考你的时候，问你家住在哪儿？你就说，新——帘——子胡同。”

“那么……”有些事情我实在想不起来了，所以要说什么，也不能接下去，我就闭上眼睛。妈说：

“再睡会儿也好，你刚好还觉得累，是不是？”妈妈说着就摩抚我的嘴巴，我的眼皮，我的头发，忽然一个东西一下碰了我的头，疼了一下，我睁开眼看，是妈妈手上套的那只——那只金镯子！我不由得惊喊了一声：“镯子！”妈没说什么，把金镯子又推到手腕上去。我的眼睛直望着妈妈的金镯子，心想着，这只金镯子不是——不就是我给一个人的那只吗？那个人叫什么来着？我糊涂了，但不敢问，因为我现在不能把那件事记得很清楚。我怎么就生病，就住到这医院里来了呢？我是一点儿也不清楚。

妈妈拍拍我说：

“别发呆了，看你发烧睡大觉的时候，多少人给你送吃的、玩的东西来！”

妈妈从床头的小桌上拿起来一个很好看的匣子，放在枕边，一边打开来，一边说：

门联：卜居积水，世守研田 卜——选择；水——上善若水；研——同砚。有板桥头条、二条、三条，又北有大铜井、小铜井，以达于德胜门城根（摄于板桥二条）

“匣子是刘婆婆给你买的，留着装东西用，里面，喏，你看，这珠链子是张家三姨送你的。喏，这支自动铅笔是叔叔给你的。你自己玩吧！”她便转头跟宋妈说话去了。

我随着妈妈的说明，一件件从匣里拿出来看，我再摸出来的是一只手表，上面镶了几颗钻，啊！这是我自己的东西！但是——我手举着表，一动也不动地看着，想着，它怎么会在这只匣子里？它不是也被我送给人了吗？

“妈！”我不禁叫了一声，想问问。妈回过头看见，连忙接过表去，笑着说道：

“看，这只表我给你修理好了，你听！”

妈把表挨近我的耳朵，果然发出小小滴答滴答的声音。然而这时我想起了一些事情，我想起了一个人，又一个人。她们的影子，在我眼前晃。

“妈！”我再叫一声还想问问。

妈妈慌忙地又从匣子拿出别的玩意儿来哄我：

“喏，再看这个，是……”

我忽然想起好些事情来了，我跟一个人，还有一个人的事情，但是妈妈为什么那样慌慌忙忙的不许人问？现在我是多么的思念她们两个啊！我心里太难受，真想哭，我忽然翻身伏在枕头上，就忍不住大声地哭起来。我哭着，嘴里喊：“爸爸！爸爸！”

妈妈和宋妈赶着来哄我，妈妈说：

“英子想爸爸了，爸爸知道多高兴，他下班就会来看你！”

宋妈说：

“孩子委屈喽，孩子这回受大委屈喽！”

妈妈把我抱起来搂着我，宋妈拍着我，她们全不懂得我！我是在想那两个人啊！我做了什么不对的事吗？我很怕！爸爸，爸爸，你是男人，你应当帮助我啊！我是为了这个才叫爸爸的。

我哭了一阵子很累了，闭上眼睛偎在妈妈的怀里。妈妈轻轻摇着我，低声唱她的老家的歌：

“天乌乌，要落雨，老公仔举锄头巡水路，巡着鲫仔鱼要娶某，龟举灯，鳖打鼓……”她又唱：

“ㄏㄧ　ㄏㄨ　ㄟ，饲阉鸡，阉鸡饲大只，煮给英子吃，英子吃不够，去后尾门仔眯眯哭！”那轻轻的摇动使我舒服多了，听到这儿，我不由得睁开眼笑了。妈妈很高兴地亲着我的脸说：

“笑了，笑了，英子笑了。宋妈已经把家里的油鸡杀了给你煮汤喝呢！”

宋妈从桌底下拿出一只小锅，打开来还冒着热气，她盛了一碗黄黄的汤还有几块肉，递到我面前，要我喝下去。我别过脸去不要看，不要吃。碗里是西厢房的小油鸡吗？我曾经摸着它们的黄黄软软的羽毛，曾经捉来绿色的吊死鬼喂

胡同千百，各有风韵。只要想看，并看得出来，那的确是一种享受 “自鲍家街以北曰前百户庙，曰后百户庙，曰狗尾巴胡同，其南北小胡同曰取灯胡同，曰笔管胡同，又北曰西铁匠胡同。”（摄于西铁匠胡同）

它们，曾经有一个长长睫毛大眼睛里的泪滴落在它们的身上……我不说什么，把头钻进妈妈的胸怀里。妈妈说：

“她不想吃，再说吧，刚醒过来，是还没有胃口。”

我在医院住了十几天，刚可以起床伏在楼窗口向下面看望，爸爸就雇来一辆马车，把我接回家。

马车是敞篷的，一边是爸，一边是妈，我坐在中间，好神气。前面坐了两个赶马车的人，爸爸催他们快一点，皮鞭子抽在马身上，马蹄子嘚嘚嘚嘚，嘚嘚嘚嘚，一路跑下去。马车所经过的路，我全都不认识。这条大街长又长，好像前面没尽没了。

我觉得很新鲜，转身脸向着车后，跪在座位上，向街上呆呆地看。两边的树一棵一棵地落在车后面，是车在走呢？是树在走呢？

我仰起头来，望见了青蓝的天空，上面浮着一块白云彩，不，一条船。我记得她说：“那条船，慢慢儿地往天边上挪动，我仿佛上了船，心是飘的。”她现在在船上吗？往天边儿上去了吗？

一阵小风吹散开我的前刘海，经过一棵树，忽然闻见了一阵香气，我回头看妈妈，心里想问：“妈，这是桂花香吗？”我没说出口，但是妈妈竟也嗅了嗅鼻子对爸爸说：

“这叫作马缨花，清香清香的！”她看我在看她，就又对我说：“小英子，还是坐下来吧，你这样跪着腿会疼，脸

廊柱下对坐的悄悄话 “我没有再答话，不由得再想——西厢房的小油鸡，井窝子边闪过来的小红袄，笑时的泪坑，廊檐下的缸盖，跨院里的小屋，炕桌上的金鱼缸，墙上的胖娃娃，雨水中的奔跑，……一切都算过去了吗？我将来会忘记吗？”——林海音《城南旧事》（摄于北新华街）

向后风也大。”

我重新坐正，只好看赶马车的人狠心地抽打他的马。皮鞭子下去，那马身上会起一条条的青色的伤痕吗？像我在西厢房里，撩起一个人的袖子，看见她胳膊上的那样的伤痕吗？早晨的太阳，照到西厢房里，照到她那不太干净的脸上，那又湿又长的睫毛一闪动，眼泪就流过泪坑淌到嘴边了！我不要看那赶车人的皮鞭子！我闭上眼，用手蒙住了脸，只听那嘚嘚的马蹄声。

太阳照在我身上，热得很，我快要睡着了，爸爸忽然用手指逗逗我的下巴说：

“那么爱说话的英子，怎么现在变得一句话都没有了呢？告诉爸，你在想什么呢？”

这句话很伤了我的心吗？怎么一听爸说，我的眼皮就眨了两下；碰着我蒙在脸上的手掌，湿了，我更不敢放开我的手。

妈妈这时一定在对爸爸使眼色吧？因为她说：

“我们小英子在想她将来的事呢！……”

“什么是将来的事？”从上了马车到现在，我这才说第一句话。

“将来的事就是英子要有新的家呀，新的朋友呀，新的学校呀，……”

“从前的呢？”

“从前的事都过去了，没有意思了，英子都会慢慢忘记的。”

我没有再答话，不由得再想——西厢房的小油鸡，井窝子边闪过来的小红袄，笑时的泪坑，廊檐下的缸盖，跨院里的小屋，炕桌上的金鱼缸，墙上的胖娃娃，雨水中的奔跑，……一切都算过去了吗？我将来会忘记吗？

“到了！到了！英子，新帘子胡同到了，新的家到了！快看！”

新的家？妈妈刚说这是“将来”的事，怎么这么快就到眼前了？

那么我就要放开蒙在脸上的手了。

房影（摄于河泊厂南巷和东巷的拐口）

我们看海去

一

妈妈说的，新帘子胡同像一把汤匙，我们家就住在靠近汤匙的底儿上，正是舀汤喝时碰到嘴唇的地方。于是爸爸就教训我，他绷着脸，瞪着眼说：

“讲唔听！喝汤不要出声，窣窣窣的，最不是女孩儿家相。舀汤时，汤匙也不要把碗碰得当当当地响。……”

我小心小心地拿着汤匙，轻慢轻慢地探进汤碗里，爸又发脾气了：

“小人家要等大人先舀过了再舀，不能上一个菜，你就先下手。”他又转过脸向妈妈，“你平常对孩子全没教习，也是不行的。……”

我心急得很，只想赶快吃了饭去到门口看方德成和刘平踢球玩，所以我就喝汤出了声，舀汤碰了碗，菜来先下手。我已经吃饱了，只好还坐在饭桌旁，等着给爸爸盛第二碗饭。爸爸说，不能什么都让用人做，他这么大的人，在老家时，也还不是吃完了饭仍站在一旁，听着爷爷的教训。

我趁着给爸爸盛好饭，就溜开了饭桌，走向靠着窗前的书桌去，只听妈妈悄悄对爸爸说：

“也别把她管得这么严吧，孩子才多大？去年惠安馆的疯子把她吓得那么一大场病，到现在还有胆小的毛病，听见你大声骂她，她就一声不言语，她原来不是这样的孩子呀！现在搬到这里来，换了一个地方，忘记以前的事，又上学了，好容易脸上长胖些……”

妈妈啊！你为什么又提起那件奇怪的事呢？你们又常常说，哪个是疯子，哪个是傻子，哪个是骗子，哪个是贼子，我分也分不清。就像我现在，抬头看见窗外蓝色的天空上，飘动着白色的云朵，就要想到国文书上第二十六课的那篇《我们看海去》：

我们看海去！
我们看海去！
蓝色的大海上，
扬着白色的帆。
金红的太阳，
从海上升起来，
照到海面照到船头。
我们看海去！
我们看海去！

我就分不清天空和大海。金红的太阳，是从蓝色的大海升上来的呢？还是从蓝色的天空升上来的呢？但是我很喜欢念这课书，我一遍一遍地念，好像躺在床上，又像睡在云上。我现在已经能够背下来了，妈妈常对爸爸、对宋妈夸我用功，书念得好。我喜欢念的，当然就念得好，像

这是新帘子胡同的一个小院门，墙，还是磨砖对缝的 “妈妈说的，新帘子胡同像一把汤匙，我们家就住在靠近汤匙的底儿上，正是舀汤喝时碰到嘴唇的地方。”——林海音《城南旧事》（摄于东松树胡同〔原新帘子胡同东段并入〕）

门框柱上的鞋掸子 “上面挂了一把鞋掸子，爸爸临出门和回家来，都先掸一掸鞋。他教我也要这样做，但是我觉得我鞋上的土，还是用跺脚的法子，跺得更干净些。”——林海音《城南旧事》。照片，是六年前拍的，但是只感觉到了那掸子和人有关系，但绝没想到他们会那么亲近，有那么多他们可以彼此讲述的故事（摄于西城丰盛友爱巷）

上学期的"人手足刀尺狗牛羊一身二手……"那几课，我希望赶快忘掉它们！

爸爸去睡午觉了，一家人都不许吵他，家里一点儿声音都没有，但是我听到街墙传来"呯！呯！"的声音，那准是方德成他们的皮球踢到墙上了。我在想，出去怎样跟他们说话，跟他们一起玩呢？在学校，我们女生是不跟男生说话的，理也不理他们，专门瞪他们，但是我现在很想踢球。

好妈妈，她过来了：

"出去跟那两个野孩子说，不要在咱们家门口踢球，你爸爸睡觉呢！"

有了这句话就好了，我飞快地向外跑，辫子又钩在门框的钉子上了，拔起我的头发根，痛死啦！这只钉子为什么不取掉？对了，是爸爸钉的，上面挂了一把鞋掸子，爸爸临出门和回家来，都先掸一掸鞋。他教我也要这样做，但是我觉得我鞋上的土，还是用跺脚的法子，跺得更干净些。

宋妈在门道喂妹妹吃粥，她头上的簪子插着薄荷叶，太阳穴贴着小红萝卜皮，因为她在闹头痛的毛病。开街门的时候，宋妈问我：

"又哪儿疯去？"

"妈叫我出去的。"我理由充足地回答她。

门外一块圆场地，全被太阳照着，就像盛得满满的一匙汤。我了不起地站到方德成的面前说：

“不许往我们家墙上踢球，我爸爸睡觉呢！”

方德成从地上捡起皮球，傻乎乎地看着我。

在我们家的斜对面，是一所空房子，里面没有人家住，只有一个看房的聋子老头儿，也还常常倒锁了街门到他的女儿家去住。宋妈不知道从哪儿听来的，说这所房子总租不出去，是因为闹鬼。妈妈听了就跟爸爸说：“北京城怎么这么多闹鬼的房子？”

在闹鬼房子和另一所房子的中间，有一块像一间房子那么大的空地，长满了草，前面也有看来我都能迈过去的矮破砖墙，里面的草长得比墙高。这块空地听说原来是闹鬼房子的马号，早就塌了，没有人修，就成了一块空草地。

我看着那片密密高高的草地，它旁边正接着一段闹鬼房子的墙，我对傻方德成他们说：

“不会上那边踢去，那房里没住人。”

他们俩一听，转身就往对面跑去。球儿一脚一脚地踢到墙上又打回来，是多么的快活。

这是条死胡同，做买卖的从汤匙的把儿进来，绕着汤匙底儿走一圈，就还得从原路出去。这时剃头挑子过来了，那两片铁夹子“唤头”弹得嗡嗡地响，也没人出来剃头。打糖锣的也来了，他的挑子上有酸枣面儿，有印花人儿，有山楂片，还有珠串子，都是我喜欢的，但是妈妈不给钱，又有什么办法！打糖锣的老头子看我站在他挑子前，就轻轻地对我说：

“去，去，回家要钱去！”

教人要钱，这老头子真坏！我心里想着，就走开了。我不由得走向对面去，站在空草地的破砖墙前面，看方德成和刘平他们俩会不会叫我也参加踢球。球滚到我脚边来了，我赶快捡起来扔给他们。又滚到更远一点儿的墙边去了，我也跑过去替他们捡起来。这一次刘平一脚把球踢得老高老高的，他自己还夸嘴说：“瞧老子踢得多棒！”但是这回球从高处落到那片高草地里去了。

“英子，你不是爱捡球吗？现在去给我们捡吧！”刘平一头汗地说。

有什么不可以？我立刻就转身迈进破砖墙，脚踏在比我还高的草堆里。我用两手拨开草才想起，球掉到哪儿了呢？怎么能一下就找到？不由得回头看他们；他们俩已经跑到打糖锣的挑子前，仰着脖子在喝那三大枚一瓶的玉泉山汽水。

我探身向草堆走了两步，刘平在喊我：“留神脚底下狗屎，林英子！”

我听了吓得立刻停住了，向脚底下看看，还好，什么

（上）“磨剪子嘞，戗菜刀。”（摄于牛街五条）

（中）请神　有人将木雕版置于几案，又印个样儿来，无非是财神一类的吉祥图语，让逛庙会的自印自娱，欢欢喜喜地买（或说请）回家（摄于地坛庙会）

（下）“磨刀人的全部家伙。”（摄于小杨家〔小羊圈〕胡同）

都没有。我拨开左面的草，右面的草，都找不到球。再向里走，快到最里面的墙角了，我脚下碰着一个东西，捡起来看，是把钳子，没有用，我把它往面前一丢，当的一声响了，我赶快又拨开前面的草，这才发现，钳子是落在一个铜盘子上面，盘上是反扣着的。真奇怪！我不由得蹲下来，掀开铜盘子，底下竟是叠得整整齐齐的一条很漂亮带穗子的桌毯，和一件很讲究的绸衣服，我赶紧用铜盘子又盖住，心突突地跳，慌得很，好像我做了什么不对的事被人发现了，抬头看看，并没有人影，草被风吹得向前倒，打着我的头，我只看见草上面远远的那块蓝色的海，不，蓝色的天。

我站起身来往出口的路走，心在想，要不要告诉刘平他们？我走出来，只见他们俩已经又在地上弹玻璃球了，打糖锣的老头子也走了。刘平头也没抬地问我：

“找着没有？”

“没有。”

“找不着算了，那里头也太脏，狗也进去拉屎，人也进去撒尿。”

我离开他们回家去。宋妈正在院子里收衣服，她看见我皱起眉头（小红萝卜皮立刻从太阳穴掉下来了！）说：

“瞧裹的这身这脸的土！就跟那两个野小子踢球踢成这模样儿？”

“我没有踢球！”我的确没有踢球。

“骗谁！”宋妈撇嘴说着，又提起我的辫子，“你妈梳头是有名的手紧，瞧！还能让你玩散了呢！你说你够多淘！头绳儿哪？”

“是刚才那门上的钉子钩掉的。”我指着屋门那只挂掸子的钉子争辩说。这时我低头看见我的鞋上也全是土，于是我在砖地上用力地跺上几跺，土落下去不少。一抬头，看见妈妈隔着玻璃窗在屋里指点着我，我歪着头，皱起鼻子，向妈妈眯眯地笑了笑。她看见我这样笑，会什么都原谅我的。

二

第二天，第三天，好几天过去了，方德成他们不再提起那个球，但是我可惦记着，我惦记的不是那个球，是那块草地，草地里的那堆东西。我真想告诉妈或者宋妈，但是话到嘴边又收回去了。

今天我的功课很快地就做完了，两位数的加法真难算，又要进位，又要加点，我只有十个手指头，加得忙不过来。算术算得太苦了，我就要背一遍《我们看海去》，我想，躺在那海中的白帆船上，会被太阳照得睁不开眼，船儿在水上摇呀摇的，我一定会睡着了。“我们看海去，我们

卖空竹的 儿时，正月春节，姐姐带去逛厂甸买空竹。也许正因为是孩子，一迷上，很快就学会了“抖”，在院的“土”地上竟能把空竹抖得嗡嗡震响，那响儿一会儿紧，一会儿慢，一会儿高，一会儿低，自己感着绝不亚于听歌听戏。后来，又学会了“猴爬竿”，就是把旋转的空竹掂到竹竿上，发出哗哗的滚动声，一会儿又掂回到抖动的绳上。再后来，抖着抖着，竟将空竹扔到半空，又接住，接着抖，甚而来个“转身塔”——自己转个360度的身，再接住那飞落的空竹，博得小伙伴们的喝彩（摄于白云观庙会）

看海去”，我收拾铅笔盒的时候，这样念着；我把书包挂在床栏上，这样念着；我跳出了屋门槛儿，这样念着。

爸和妈正在院子里，妈妈抱着小妹妹，爸爸在剪花草，他说夹竹桃叶子太多了，花就开得少，该去掉一些叶子。他又用细绳儿把枝子捆扎一下，那几棵夹竹桃，就不那么散散落落的了。他又给墙边的喇叭花牵上一条条的细绳子，钉在围墙高处，早晨的太阳照在这堵墙上，喇叭花红紫黄蓝的全开开了，但现在不是早晨，几朵喇叭花已经萎了。

妈妈对爸爸说：

“带把锁回来吧，贼闹得厉害，连新华街大街上还闹贼呢！”

爸爸在专心剪栽花草，鼻孔一张一张的，他漫不经心地说：“新华街，离这里还远呢！”抬头看见我又说：“是不是？英子！”

我点点头，那空草地在我眼前闪了一下。

小妹妹这时从妈妈的身上挣脱下来，她刚会走路，就喜欢我领她。我用跳舞的步子带着她走，小妹妹高兴死啦！咯咯地笑，我嘴里又念着“我们看海去”，念一句，跳一步舞，这样跳到门口。宋妈刚吃过饭，用她那银耳挖子在剔牙，每剔一下，就啧啧地吸着气，要剔好大的工夫，仿佛她的牙很重要！小妹妹抱住她的腿，她把耳挖子在身上抹了抹，插到她的髻儿上去。

宋妈抱起小妹妹走出街门了，她对妹妹说：

“俺们逛街去喽！俺们逛街街去喽！”宋妈逛大街的瘾头很大，回来后就有许多新鲜事儿告诉妈妈；神妖贼怪，骡马驴牛。

宋妈走远去了，小妹妹还在向我招手，天还没有黑，但是太阳不见了，只有对面空房子的墙角上，还有一丝丝光。再看过去，旁边的空草地上，也还有一片太阳闪着亮，草被风吹得轻轻地动，我看愣了，不由得向它走过去。我家隔壁的门前，停了一个收买破烂货的挑子，却不见人，大概是到谁家收买破烂儿去了吧！这时门前的空地上，一个人也没有。

我走向空草地，一边迈过破墙，一边心想，如果被宋妈或者什么人看见我到这里来的话，我就说，我要找那个皮球的，本来嘛！

我没有专心找球，但也希望能看到它，我的脚步是走向那个神秘的墙角。我憋住气，拨动着高草，轻轻地向前探着脚步，我是怕又踩到什么东西。

那些东西，能够还在这地方吗？我那天怎么不敢多看一看，立刻就返身退出来呢？现在这些东西如果还在这地方的话，我又怎么办呢？当然没有办法，我只是想看一看，因为我喜欢奇怪的事。

但是当我拨开那一丛草的时候，使我倒抽了一口气，

瓷器古玩摊 （摄于宣武白云观庙会）

卖风车的货摊 庙会上的风车，大多由近郊农民扎制。以高粱秆扎成框架，用东昌纸条染成红黄绿鲜艳的色彩，粘成风轮。鼓框由胶泥做，铜钱大小，两层麻纸裱成鼓皮。然后以最原始的联动装置组合一起，只要风轮一动，便带动麻绳绞住的小棍击鼓作声。倘风轮在风中不停地旋转，小鼓就不断咚咚作响。风小，您就稍用力摆动一下风车，照样响。京城春节，哪能少了这道风景呢（摄于白云观庙会）

惊奇地喊了一声：

“哦！”

有一个人蹲在草地上！他也惊吓地回过头来“哦”了一声。瞪着眼望了我一阵，随后他笑了：

“小姑娘，你也上这儿来干吗？”

“我呀，”我竟答不出话来，愣了一下，终于想出来了，“我来找球。”

“球？是不是这个？”他说着，从身后的一堆东西里拿出一个皮球，果然是刘平他们丢的那个。我点点头，接过球来便转身退出去，但是他把我叫住了：

“嗯——小姑娘，你停停，咱们谈谈。”

他是穿着一身短打裤褂，秃着头，浓浓的眉毛，他的厚嘴唇使我想起了会看相的李伯伯说过的话：“嘴唇厚厚墩墩的，是个老实人相。”我本来有点怕，想起这句话就好多了。他说话的声音仿佛有点发抖，人也不肯站起来，但是我知道他身后有一堆东西，不知道是不是那天的铜茶盘什么的。他说：

“小姑娘，你几岁啦？念书了没有？”

“七岁，在厂甸附小一年级。”常常有人问我同样的话，所以我能一下就回答出来。

“喝！那是好学堂。谁接你送你上学呀？”

“我自己。”回答了以后，想起爸爸，所以我又说，“爸爸说，小孩子要早早养成自立的本事，现在，你知道不知道，新华街城墙打通了，叫作兴华门，我就不用绕顺治门啦！”

“小姑娘会说话，家教好，”他不住地点头，“你爸爸说得对，小孩子要早早地就学着自个儿，嗯——自个儿那什么的本事，唉——！”他忽然低头长长地叹一口气，又抬头望着我，笑笑问我：“你猜我是来干吗？”

“你呀——我猜不出，”我摇摇头，但又忽然想起来了，“你是不是来这里拉屎？”

“拉屎？”他睁大了眼睛，“对啦，对啦，我是来出恭的啦！”

“不讲卫生。”

“我们这路人，没有卫生。”

我又低头斜着眼望了一下他的背后，他好像在想什么，愣了一会儿，从短褂口袋里掏出了一把玻璃球，都是又圆又亮的汽水球：

“哪，这些个给你。”

“我不要！”这种事一点儿也不能坏我的心眼儿。爸爸说过，不许随便拿人家的东西。

“是我给你的呀！”他还是要塞到我手里，但是我的手掌努力张开着，并不拳起来，球没法落在我手里，就都掉在草地上了。我又说：

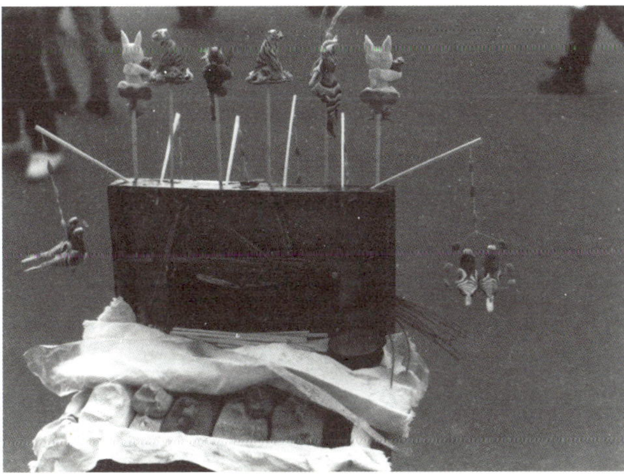

面塑 俗称捏面人，可能是受战国俑和汉代木偶的启发而产生的民间工艺。北京街头，尤其是各寺观的庙会，常有捏面人的，以蒸熟后着色的面团，当场捏塑各种戏剧人物及飞禽走兽等，神形毕肖。以前，面人郎、面人汤、面人曹最为市井推重（摄于白云观庙会）

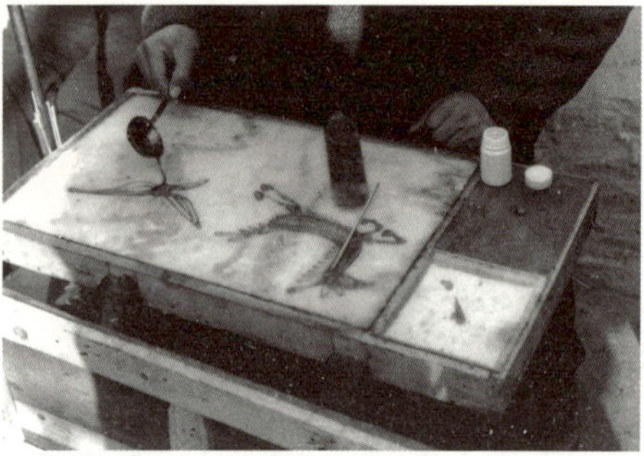

（上）糖 手艺人将糖稀慢慢倾滴石板的同时，勾勒出或龙或凤、或鱼或鸟的图形，然后以苇棍附上、凝住、撬下，供小孩边玩边吃（摄于白云观庙会）

（中）卖布老虎的 一百一百，一群一群，摊摆着，堆摞着，布老虎没有凶猛之相，尽是勃勃的生气和可爱（摄于地坛春节庙会）

（下）卖冰糖葫芦的，现熬糖，现蘸，现卖 旁边立着个蒲草捆，用来插做好的糖葫芦。逛庙会的，想吃啥品种的，自己挑，自己拔出。糖葫芦大多是山里红做的，还有什么沙果的、山药的、黑枣的、橘子瓣的。这，已经是九十年代的卖法了（摄于白云观庙会）

“人家给的也不能随便要。”

“这孩子！”他也很没有办法的样子，随后他又问我，“你们家知道你上这儿来吗？”

我摇摇头。

“你回去了，要告诉你们家里的人看见我了吗？”

我还是摇头。

“那好，可千万别跟人说看见我了呀！我也是好人。”

谁又说他是坏人了呢？他的样子好奇怪！我猜他不是来拉屎的，那堆东西，跟他有关系。

“回去吧！快黑了！”他指指天，乌鸦飞过去了。

“那你呢？”我问他。

“我也走呀，你先走。”他掸掸身上落下的碎草，好像要站起来，接着又说，“可别说出去呀，小姑娘，你还小，不懂得事，等赶明儿，我跟你慢慢地谈，故事多着呢！”

“讲故事？”

“是呀！我常常来，我看你这小姑娘是好心肠，咱们交个道义朋友，我跟你讲我弟弟的故事儿呀，我的故事儿呀。”

“什么时候？”说到讲故事，我最喜欢。

“遇见了，咱们就聊聊，我一个人儿，也闷得慌。”

他说的话，我不太懂，但是我觉得这样一个大朋友，可以交一交，我不知道他是好人，还是坏人，我分不清这些，就像我分不清海跟天一样，但是他的嘴唇是厚厚墩墩的。

我转身向外拨动高草，又回过头来问他：

“明天你要来吗？”

“明天？不一定。”

他正拿一个包袱摊开来包些东西，草下面很暗了，看不清，但是可以听见“当当”的声音，准是那个铜盘子碰着掉在地上的汽水球了。那些是他的东西吗？

我走出了破砖墙，眼前这块地方还是没有人，但远远的我看见宋妈领着小妹妹回来了，我赶快向家里跑，路过隔壁的人家，看见那收破烂的挑子还摆在那里。

我和宋妈同时到了家门口，便牵了小妹妹的手一路走进家门，这时院子里的电灯亮了，电灯旁边的墙上爬着好几条蝎虎子，电灯上也飞绕着许多小虫儿。茶几已经摆在花池子旁边了，上面准是一壶香片茶，一包粉包烟，爸爸要在藤椅上躺好久好久，跟妈妈谈这谈那，李伯伯也许会来。

我把皮球放在茶几上，随手便把粉包烟拿起来打开，抽出里面的洋画儿，爸爸笑笑问我：

“封神榜的洋画儿存全了没有？”

“哪里会！那张姜子牙永远不会有。三只眼的杨戬我倒有三张啦！”

爸爸摸摸我的头笑着对妈妈说：

“这孩子，也知道什么姜子牙啦，杨戬啦！”

我也不知道是怎么个心气儿，忽然问爸爸：

“爸，什么叫作贼！”

“贼？”爸奇怪地望着我，“偷人东西的就叫贼。”

“贼是什么样子？”

“人的样子呀！一个鼻子俩眼睛。”妈回答着，她也奇怪地望着我：

“怎么问起这个来了？”

“随便问问！”

我说着拿了小板凳来放在妈妈的脚下，还没坐下来呢，李伯伯就进来了，于是妈妈就赶我：

“去，屋里跟小妹妹玩去，不要在这里打岔。”

三

我洗脸的时候，把皮球也放在脸盆里用胰子洗了一遍，皮球是雪白的了，盆里的水可黑了。我把皮球收进书包里，这时宋妈走进来换洗脸水，她“哟”了一声，指着脸盆说：

“这是你的脸？多干净呀！”

“比你的臭小脚干净！”我说完噗哧笑了。我也不知为什么想到宋妈的脚，大概是因为她的脚裹得太严紧了。妈妈说过，那里面是臭的。

宋妈也笑了，她说：

“你嘴厉害不是？咬不动烧饼可别哭呀！”

咬不动烧饼，实在是我每天早晨吃早点的一件痛苦的事。我的大牙都被虫蛀了，前面的又掉了两个，新的还没长出来，所以我就没法把烧饼麻花痛痛快快地吃下去。为了慢慢地吃早点，我迟到了；为了吃时碰到虫牙我疼得哭了。那么我就宁可什么也不吃，饿着肚子上学去。

我把书包挂在肩膀上，自己上学去。出了新帘子胡同照直向城门走去，兴华门虽然打通了，但是还没有做好，城门里外堆了一层层的砖土，车子不通行，只有人可以走过。早晨的太阳照在土坡上，我走上土坡，太阳就照满我的全身，我虽然没吃早点，但很舒服，就在土坡上站了一会儿，看着来来往往的行人。手扶着书包正碰着鼓起来的皮球，不由得想到了空草地里的情景，那个厚厚嘴唇的男人，他到底是干吗的？

我呆想了一会儿，便走下坡来，出了兴华门，马上就到学校了。

五年级的童子军把着校门，他们的样子多凶啊！但是多让人羡慕啊！我几时能当上童子军呢？

“书包里是什么？”童子军指着我的书包问。

一品玉带糕 卖主还当场巧用刀功，切成极薄的片片。买主既品尝了酥松香甜，又欣赏了手艺，美死了（摄于白云观庙会）

栗子摊 旧时，当秋风乍起，北京街头就有糖炒栗子上市了。栗子铺门口支着大铁锅，满是黄得发亮的栗子和黑色的砂粒，店伙计一边挥动平铲，炒着、搅着，一边吆喝“现出锅的！”固安县在京南，出产最好的栗子，又甜又糯。栗子的吃法甚多，除炒栗，还可做菜，出名的是栗子煨鸡。今见盛栗子的荆条大笸箩，粗牛皮纸口袋，形状特别的簸铲，我知道这内中还保有几丝古风（摄于护国寺街与护仓胡同的拐口）

我吓了一跳。

“是皮球，还给刘平的。”我说话都有点哆嗦了，我真怕他们。

童子军对我很好，他没有检查，手一挥，放我进去了。我可看见他从别的同学的裤袋里查出蚕豆来，查出山楂糖来，全给没收了。不许带吃的。

进了教室，我掏出皮球来给刘平，他愣着，大概忘了，我说：

“是你们那天丢的皮球呀！”

他这才想起来，很高兴地接过去，也不说声谢谢。

有一些同学们在吵吵闹闹，他们说，欢送毕业同学全校要开个游艺会，在大礼堂，每一班都要担任游艺会的一项表演节目，吵的就是我们这班会表演什么呢？我真奇怪，他们的消息从哪儿得来的？我怎么就不知道这些事情。

上课的时候，老师果然告诉我们，一、二年级的同学不会表演整出的话剧什么的，只好唱唱歌，跳跳舞。教跳舞唱歌的韩老师，要从一、二、三年级的同学里，挑出几个人来，合着演唱《麻雀与小孩》。啊！那是多么好听好看的一出歌舞啊！老师会选谁呢？会选我吗？我心跳了，因为我喜欢韩老师！她是我们附小韩主任的女儿。她冬天穿着一件藕荷色的旗袍，周身镶了白兔皮的边，在大礼堂里

房荫下的老藤椅 “爸爸要在藤椅子上躺好久好久，跟妈妈谈这谈那……”——林海音《城南旧事》。我并不计较那是躺的藤椅还是坐的藤椅，我看中的是，在藤椅上看书，抽烟，静想，晒太阳，或是与相知谈天说地，有儿女围绕膝下，和妻子唠唠家常，更或是撒一些谷粒，有雀鸽在地上蹦蹦跳跳啄食……在学问中，平凡中，情感中，闲散中，我们发现了自己，并将闲散化作了自由与哲学的代名词（摄于盛芳胡同〔原什坊院，小井胡同并入〕）

教我们跳舞，拉圈儿的时候，她刚好拉着我的手。她的手又热又软，我是多么喜欢她，她喜欢我吗？……

"……还有林英子，当小麻雀。"

啊！我还在做梦呢，什么也没听见，什么？真的是在叫我的名字吗？

"林英子，从明天起，下了课要晚一点儿回家，每天都由韩老师教你们，到三甲的教室去，听明白了没有？记住，要告诉家里一声。"

我只觉得脸热，真高兴死了，同学们会多么羡慕我啊！去跟三年级的大同学一起跳舞，虽然我当的是小小麻雀，只管飞来飞去，并不要唱什么。

我觉得时间过得真慢，因为我要赶快回家告诉妈妈，不要告诉臭小脚宋妈，她一定会抱妹妹来看游艺会，我才不要她来！下课的时候，同学都围着我，问我跳舞那天穿什么衣裳？害怕不害怕？女同学都跑过来搂着我，好像我是她们每一个人的好朋友。

好容易放学该回家吃午饭了，我加快了脚步，抢在同学的前面走出来。进了兴华门，过了高高低低的土坡，再走一小段路，就到新帘子胡同了。胡同里的第三家，是所大房子，平常大门关得严严的，今天却难得地敞开了，门口围着许多人，巡警也来了，不知道是什么事。但是我下午还要上学，不能挤进人堆里去看，赶快跑回家来。

宋妈正在气喘呼呼地跟妈讲什么，妈惊奇地瞪着眼听，又摇头，又啧啧。

“这回可大发了，一共偷了三十件，八成是昨天天好拿出来晒衣服，让贼给瞄上了。”

“从外面怎么能看得见呢？不是黑大门的那家吗？我路过也难得看见他们打开门，总是阴森森的。”

“今天大门一敞开，咱们才看见，真是天棚石榴金鱼缸，院子可豁亮啦！”

“现在怎么样了呢？”

“巡警在那儿查呢！走，珠珠，咱们再看去，”宋妈领着小妹妹，回头看见了我，“小英子，你去不去看热闹？”

“热闹？人家丢了那么多东西，多着急呀，你还说是热闹呢！”我说完撇了她一嘴。

“好心没好报！”宋妈终于又抱着妹妹走了。

我在饭桌上告诉妈妈，我参加表演《麻雀与小孩》的事，妈妈很高兴，她说要给我缝一件最漂亮的跳舞衣。我说：

“缝好了就锁在箱子里，不要让贼偷走啊！”

“不会啦，别说这丧话！”妈说。

我忍不住又问妈：

“妈，贼偷了东西，他放在哪儿呢？”

“把那些东西卖给专收贼赃的人。”

尘封的竹车和木椅 适应了院门过道儿的幽暗，才看清上面悬挂的老物件。竹车，那是哺养婴孩的；木椅，那是长辈们端坐读书的。现在，它们被尘封了，尘封了的又岂止这两个物件，它们是整整那个古城的文化时代，连同它们的沉宁、自由、缓慢、体贴、朴洁……都将送入历史的记忆仓库（摄于西旧帘子胡同）

家门 “我从土坡上下来，边走边想，走到家门口，就在门墩儿上坐下来，愣愣地没有伸手去拍门，因为我看见收买破烂货的挑子又停在隔壁人家门口了。”——林海音《城南旧事》。这是家门口，门板居中的下角，包镶上如意形的铁板，钉上数百个大铁钉，为的是保护门板，不易被碰坏；做成如意形，图个吉祥，也是装饰。脱落剥蚀的那些铁板铁钉，到哪里去找呢？它们几乎像粉末一样消失在时光里（摄于宣武椿树南柳巷59号）

“收贼赃的人什么样儿？”

“人都是一个样儿，谁脑门子上也没刻着哪个是贼，哪个又不是。”

“所以我不明白！”我心里正在纳闷儿一件事。

“你不明白的事情多着呢！上学去吧，我的洒丫头！”

妈的北京话说得这么流利了，但是，我笑了：

“妈，是傻丫头，傻，ㄕㄚ傻，不是ㄙㄚ洒。我的洒妈妈！”说完我赶快跑走了。

四

因为放学后要练习跳舞，今天回来得晚一点儿。在兴华门的土坡上，我还是习惯地站了一会儿。城墙上面的那片天，是淡红的颜色了，海在这时也会变成红色的吗？我又默默地背起“我们看海去！我们看海去！……金红的太阳，从海上升起来，……”那么现在不可以说是“金红的太阳，从天上落下去”吗？对了，我将来要写一本书，我要把天和海分清楚，我要把好人和坏人分清楚，我要把疯子和贼子分清楚，但是我现在却是什么也分不清。

我从土坡上下来，边走边想，走到家门口，就在门墩儿上坐下来，愣愣地没有伸手去拍门，因为我看见收买破烂货的挑子又停在隔壁人家门口了。挑挑子的人呢？我不由得举起脚步走向空草地那边去。这时门前的空地上，只见远远的有一个男人蹲在大槐树底下，他没有注意我。我迈进破砖墙，拨开高草，一步步向里走。

还是那个老地方，我看见了他！

“是你！”他也蹲在那里，嘴里咬着一根青草。他又向我身后张望了一下。招手叫我也蹲下来。我一蹲下来，书包就落在地上了。他小声地说：

“放学啦？”

“嗯。”

“怎么不回家？”

“我猜你在这里。”

“你怎么就能猜出来呢？”他斜起头看我，我看他的脸，很眼熟。

“我呀！”我笑笑。我只是心里觉得这样，就来了，我并不真的会猜什么事，“你该来了！”

“我该来了？你这话是什么意思？”他惊奇地问。

“没有什么意思呀！”我也惊奇地回答，“你还有什么故事没跟我讲哪！不是吗？”

“对对对，咱们得讲信用。”他点点头笑了。他靠坐在墙角，身旁有一大包东西，用油布包着，他就倚着这大包袱，好像宋妈坐在她的炕头上靠着被褥垛那样。

“你要听什么故事儿？”

微弱的天光，讲桌、排椅，一片神圣 （摄于清华大学阶梯教室）

学舍 严整庄穆的学舍坐落在草坡古树的大自然中，也许校园的原意正在这里（摄于海淀燕京大学旧址）

“你弟弟的，你的。”

“好，可是我先问你，我还不知道你叫什么名儿呢！”

“英子。”

“英子，英子，”他轻轻地念着，“名儿好听。在学堂考第几？”

“第十二名。”

“这么聪明的学生才考十二名？应当考第一呀！准是贪玩儿分了你的心。”

我笑了，他怎么知道我贪玩儿？我怎么能够不玩儿呢！

他又接着说：

“我就是小时候贪玩儿，书也没念成，后悔也来不及了。我兄弟，那可是个好学生，年年考第一，有志气。他说，他长大毕了业，还要漂洋过海去念书。我的天老爷，就凭我这没出息的哥哥，什么能耐也没有，哪儿供得起呀！奔窝头，我们娘儿仨，还常常吃了上顿没下顿呢！唉！”他叹了口气，“走到这一步上，也是事非得已。小妹妹，明白我的话吗？”

我似懂，又不懂，只是直着眼看他。他的眼角有一堆眼屎，眼睛红红的，好像昨天没睡觉，又像哭过似的。

“我那瞎老娘是为了我没出息哭瞎的，她现在就知道我把家当花光了，改邪归正做小买卖，她不知道我别的。我那一心啃书本的弟弟，更拿我当个好哥哥。可不是，我供弟弟念书，一心要供到让他漂洋过海去念书，我不是个好人吗？小英子，你说我是好人？坏人？嗯？”

好人，坏人，这是我最没有办法分清楚的事，怎么他也来问我呢？我摇摇头。

“不是好人？”他瞪起眼，指着他自己的鼻子。

我还是摇摇头。

“不是坏人？”他笑了，眼泪从眼屎后面流出来。

“我不懂什么好人，坏人，人太多了，很难分。”我抬头看看天，忽然想起来了，“你分得清海跟天吗？我们有一课书，我念给你听。”

我就背起《我们看海去》那课书，我一句一句慢慢地念，他斜着头仔细地听。我念一句，他点头“嗯”一声。念完了我说：

“金红的太阳是从蓝色的大海升上来的吗？可是它也从蓝色的天空升上来呀？我分不出海跟天，我分不出好人跟坏人。”

“对，”他点点头很赞成我，“小妹妹，你的头脑好，将来总有一天你分得清这些。将来，等我那兄弟要坐大轮船去外国念书的时候，咱们给他送行去，就可以看见大海了，看它跟天有什么不一样。”

“我们看海去！我们看海去！”我高兴得又念起来。

听 庭院的那株枣树，疙疙瘩瘩、曲曲弯弯，倒挺耐看的。这不，一清早，麻雀儿在枣树上，飞来，又飞去，唧唧喳喳，彼此呼叫着，你竟一点不嫌它吵。它不来，还觉着空了什么。是啊，有许多事物乍一看显得微不足道，只要置于广阔丰饶的心性情怀下，它就会变，变得比所有那些通常认为顶要紧的事物更为伟大，更为值得尊重和热爱（摄于西松树胡同〔原松树胡同西段。下洼子部分并入〕）

没有门把儿的锁 虽然林海音、夏承楹两先生在南长街独特的老屋老门都被拆了，但他们对那老屋老门的记忆是决不会被拆掉的，而且，我还会拾尽残片遥寄给他们，去加深并扩展他们的记忆！事物是相通的，生命是相通的，人类的情感是相通的。“独特”的真义，恰是它是“普遍和恒久”的（摄于南长街西巷〔原西大街。土地庙并入〕）

“对，我们看海去，我们看海去，蓝色的大海上，扬着白色的帆……还有什么太阳来着？”

“金红的太阳，从海上升起来……”

我一句句教他念，他也很喜欢这课书了，他说：

“小妹妹，我一定忘不了你，我的心事跟别人没说过，就连我兄弟算上。”

什么是他的心事呢？刚才他所说的话，都叫作心事吗？但是我并不完全懂，也懒得问。只是他的弟弟不知要好久才会坐轮船到外国去？不管怎么样，我们总算订了约会，订了“我们看海去”的约会。

五

妈妈那条淡青色的头纱，借给我跳舞用。她在纱的四角各缀上一个小小铃儿；我把纱披在身上，再系在小拇指上，当作麻雀的翅膀。我的手一舞动，铃儿就随着响，好听极了。

举行毕业典礼那天，同时也开欢送毕业同学会，爸妈都来了，坐在来宾席上，毕业同学坐在最前面，我们演员坐在他们后面。童子军维持秩序，神气死了，他们把童子军棍拦在礼堂的几个出入门口，不许这个进来，不许那个出去。典礼先开始了，韩主任发毕业证书，由考第一的同学代表去领取，那位同学上台领了以后，向韩主任鞠躬，转过身来又向台下大家一鞠躬，大家不住地鼓掌。我看这位领毕业文凭的同学很面熟，好像在哪里见过，唉！我真“洒”！每天在同一个学校里，当然我总会见过他的呀！

我们唱欢送毕业同学离别歌：“长亭外，古道边，芳草碧连天……问君此去几时来，来时莫徘徊……”我还不懂这歌词的意思，但是我唱时很想哭，我不喜欢离别，虽然六年级的毕业同学我一个都不认识。

轮到我们的《麻雀与小孩》上场了，我心里又高兴，又害怕，这是我第一次登台。一场舞跳完，就像做梦一样，台下是什么样子，我一眼也不敢看，只听见嗡嗡的，还夹着鼓掌声。

我下了台，来到爸妈的来宾席。妈妈给我买了大沙果，玉泉山汽水和面包，我随便吃啦喝啦，童子军管不了喽！我并不愿意老老实实地坐在爸妈身边，便站起来，左看右看的，也为的让人家看见我就是刚才在台上的小麻雀。忽然，一晃眼，我看见一个熟悉的脸影，是坐在前边右面来宾席上的，他是？他侧过头来了，果然是他！我不知怎么，竟一下子蹲了下去，让前面的座位遮住我，我的脸好发烧，好像发生了什么事情。

我低下头想，他怎么也来了？是不是来看我？在那青草丛里，我对他讲过学校要开游艺会和我要表演的事了

街门的门插——旧的与半新不旧的 还记得，我小时候住在宣武醋章胡同，是个小四合院，夜晚入睡前，大人们总是相互问一声："街门上上了没有？"意思就是将门插插好，睡得安生。《顺天府志》："纬缨胡同俗讹未央（英）。"西拴马桩之东与未英胡同之间为马杆胡同，再南为惜阴胡同，又称背阴胡同。再南为刚家大院。再南为高低胡同，再南即为宣武门内东城根。宣武门又称顺承门（摄于未英胡同）

吗？如果他不是来看我，又是来看谁呢？

我蹲在妈妈的脚旁太久，妈轻轻地踢了我一脚说：

“起来呀！你在找什么？”

我从座位下站起身，挨着妈妈坐下来，低头轻轻地吃沙果，眼睛竟不敢向右前方看去。妈妈笑笑说：

“你不是说今天是特别日子，童子军不管同学吃零食的事吗？为什么还这么害怕？”

“谁说怕！”我把身子扭正过来。

这个大沙果是很难吃完的，因为我的牙！我吃着沙果，一边看台上，一边想心事。我想起来了，我想起来了，他的弟弟！一定是他考第一的弟弟在我们学校，就是领毕业证书的那个，我差点儿喊出来，幸亏沙果堵在嘴上，我只能从鼻子里“哼——”了一声。

游艺会仿佛很快就闭幕了，我们都很舍不得地离开学校回家。回家来，我还直讲游艺会的事情，说了又说，说了又说，好像这一天的快乐，我永远永远都忘不了。爸爸很高兴，他说我这次期考居然进到十名以内了，要买点儿东西鼓励我，爸说：

“要继续努力啊！一年年地进步上去，到毕业的时候，要像今天那个考第一的学生，代表同学领毕业证书。想一想，那位同学的爸爸坐在来宾席上，该是多么高兴呀！”

“他没有爸爸！”我突然这样喊出来，自己也惊奇了，他准是我所认为的那个人的弟弟吗？幸亏爸爸没有再问下去。但是这时候却引起我要到一个地方去的念头。晚饭吃过了，天还不太晚，我溜出了家门。

在门外乘凉的人很多，他们东一堆，西一堆地在说话，不会有人注意我。我假装不在意地走向空草地去。草长得更高，更茂盛了，拨开它，要用点力气呢！草里很暗，我不知道为什么要到这里来，也不知道他在不在，我只是一股子说不出的劲儿，就来了。

他没有在这里，但是墙角可还有一个油布包袱，上面还压了两块石头。我很想把石头挪开，打开包袱看看，里面到底是些什么东西，但是我没敢这么做。我愣愣地看了一会儿，想了一会儿，眼睛竟湿了，我是想，夏天过去，秋天，冬天就会来了，他还会常常来这里吗？天气冷了怎么办？如果有一天，他的弟弟到外国去读书，那时他呢？还要到草地来吗？我蹲下来，让眼泪滴在草地上，我不知道为什么会这么伤心？我曾经有过一个朋友，人家说她是疯子，我却很喜欢她。现在这个人，人家又会管他叫什么呢？我很怕离别，将来会像那次离别疯子那样地和他离别吗？

地上有一个东西闪着亮，我捡起来看，是一个小铜佛，我随便地把它拿在手里，就转身走出草地了。

经过大槐树底下的时候，一个戴着草帽穿着对襟短褂的男人向我笑眯眯走过来，他说：

红色木柜上的铜活儿 铜活儿上黑褐色的油垢都让我们觉得好得不得了。岁岁月月，开开合合，擦擦抹抹，烟熏火燎……，成了如此浑厚耐看的老物件

古亭式的烟囱口 查《燕都丛考》(陈宗蕃编著)："北新华街之西，在绒线胡同以南者，为旧帘子胡同之西头。又南，东为新帘子胡同，西为箭杆胡同。其南北直达者东为翠花街，西为未英胡同，亦称未央胡同。又西为西拴马桩，又西为油房胡同。"(摄于西旧帘子胡同)

“小姑娘，你手里拿的是什么玩意儿呀？我看看行吗？”

有什么不行呢，我立刻递给他。

“这是哪儿来的？你们家的吗？”

“不是，”我忽然想起这不是我家的东西，我怎么能随便拿在手里呢！于是我就指着空草地里说：

“喏，那里捡来的。”

他听了点点头，又笑眯眯地还给我，但是我不打算要了，因为回家去爸爸知道我在外面捡东西也会骂的，我就用手一推，说：

“送给你吧！”

“谢谢你哟！”他真是和气，一定是个好人啦！

六

天气闷热，晚上蚊子咬得厉害，谁知半夜就下了一场大雨，一直下到大天亮。我们开完游艺会放三天假，三天以后再到学校去取作业题目，暑假就开始。今天不用上学了。

雨水把院子刷洗了一次，好干净！墙边的喇叭花被早晨的太阳一照，开得特别美。走到墙角，我忽然想起了另一个墙角。那个油布包袱，被雨冲坏了吗？还有他呢？

我想到这儿，就忍不住跑出去，也不管会不会被别人看见。青草还是湿的，一拨开，水星全打到我的身上来、脸上来。

他果然在里面！但他不是在游艺会上的样子了，昨天他端端正正地坐在礼堂里，腰板儿是直的，脖子是挺的。现在哪！他手上是水和泥，秃头上也是水珠子。他坐在什么东西上，两手支撑着下巴，厚厚的上嘴唇咬着厚厚的下嘴唇，看见我去了，也没有笑，他一定是在想他的心事，没有理会我。

好一会儿，他才问我：

“小英子，我问你，你昨天有没有动过这包袱？”

我摇摇头。斜头看那包袱，上面压着的石头没有了，包袱也不像昨天那样整齐了。

“我想着也不是你，”他低下头自言自语的，“可是，要是你倒好了。”

“不是我！”我要起誓，“我搬不动那上面的石头。”我停了一下终于大胆地说：“而且，我昨天学校开游艺会，你也知道。”

“不错，我看见你了。”

我笑笑，希望他夸我小麻雀演得好，但是他好像顾不得这些了，他拉过我的手，很难过地说：

“这地方我不能久待了，你明白不？”

我不明白，所以我直着眼望他，不点头，也不摇头。他又说：

石狮 古城流传着许多歇后语，您要不知道这城的宫阙寺庙，市井习俗，老字商号，京华人物……，还真是丈二和尚，摸不着头脑。比如吧，卢沟桥的狮子——没法数；香山的卧佛——大手大脚；万春亭上谈心——说风凉话；前门楼子搭脚手——好大的架子；王致和的臭豆腐——闻着臭，吃着香；三十晚上吃饺子——没外人；天桥的把式——光说不练……。还要补一句：天安门的狮子——对摆着（摄于东城张自忠路）

“不要再到这儿找我了，咱们以后哪儿都能见着面，是不是？小妹妹，我忘不了你，又聪明，又伶俐，又厚道。咱们也是好朋友一场哪！这个给你，这回你可得收下了。”

他从口袋掏出一串珠子，但是我不肯接过来。

“你放心，这是我自个儿的，奶奶给我的玩意儿多啦！全让我给败光了，就剩下这么一串小象牙佛珠，不知怎么，挂在镜框上，就始终没动过，今天本想着拿来送给你的，这是咱们有缘。小英子，记住，我可不是坏人呀！”

他的话是诚实的，很动听，我就接过来了，绕两绕，套在我的手腕上。

我还有许多话要跟他说呢，比如他的弟弟，昨天的游艺会，但是他扶着我的肩膀说：

“回去吧，小英子，让我自个儿再仔细想想。这两天别再来了，外面风声仿佛——唉，仿佛不好呢！”

我只好退出来了，我迈出破砖墙，不由得把珠串子推到胳膊上去，用袖子遮盖住，我是怕又碰见那个不认识的男人来要了去。

七

一天过去，两天过去，到了我到学校取暑假作业题目的日子了。

美丽的韩老师正在操场上学骑车，那是一种多么时髦的事情呀！只有韩老师才这么赶时髦。她骑到我的面前停下了，笑笑对我说：

“来拿作业呀！”

我点点头。

“暑假要快乐地过，下学期很快就开学了，那时候，你作业做好了，你的新牙也长出来了，兴华门也可以通车子了！”

她的话多么好听，我笑了。但是想起牙，连忙捂住嘴，可是太好笑了，我的新牙虽然没有长出来，可也要笑，我就哈哈地大笑起来，韩老师也扶着车把大笑了。

我和几个同路的同学一路回家，向兴华门走，土坡儿已经移开了许多，韩老师说得不错，下学期开学，一定可以有许多车辆打这里经过，韩老师当然也每天骑了车来上课啦。她骑在车上像仙女一样，我在路上见了她，一定向她招手说：“韩老师，早！”

走进新帘子胡同，觉得今天特别热闹似的，人们来来往往的，好像在忙一件什么事。也有几个巡警向胡同里面走去。又是谁家丢了东西吗？我的心跳了，忽然觉得有什么不幸。

越到胡同里面，人越多了。“走，看去！”“走，看去！”人们都这么说，到底是看什么呢！

卖莲蓬的 （摄于五根檩胡同）

牛街 古称柳河村。诗咏“柳湖古寺市南头，芳草间房处处幽”。今湖柳已逝（摄于牛街五条）

砖印文：宝祥窑细泥停城砖、□□窑澄浆停城砖 （摄于南新华街临街砖墙）

临街而立的旧楼老铺 （摄于大栅栏廊房二条）

我也加紧了脚步，走到家门口时，看见家家的门都打开了，人们都站在门口张望，又好像在等什么，有的人就往空草地那面走去，大槐树底下也站满了人。

我家门墩上被刘平和方德成站上去了。宋妈抱珠珠也站在门口，妈妈可躲在大门里看，她这叫规矩。

“怎么啦，宋妈？”我扯扯宋妈的衣襟问。

“贼！逮住贼啦！”宋妈没看我，只管伸着脖子向前探望着。

“贼？”我的心一动，“在哪儿？”

“就出来，就出来，你看着呀！”

人们嗡嗡地谈着，探着头。

“来啦！来啦！出来啦！”

我的眼前被人群挡住了，只看见许多头在钻动。人们从草地那边拥着过来了。

“就是他呀！这不是收买破铜烂铁的那小子吗？”

前面一个巡警手里捧着一个大包袱，啊！是那个油布包袱！那么一定是逮住他了，我拉紧了宋妈的衣角。

“好嘛！”有人说话了：“他妈的，这倒方便，就在草堆里窝赃呀！”

“小子不是做贼的模样儿呀！人心大变啦！好人坏人看不出来啦！”

一群人过来了，我很害怕，怕看见他，但是到底看见了，他的头低着，眼睛望着地下，手被白绳了捆上了，一个巡警牵着。我的手满是汗。

在他的另一边，我又看见一个人，就是那个在槐树下跟我要铜佛的男人！他手里好像还拿着两个铜佛。

“就是那个便衣儿破的案，他在这儿憋了好几天了。”有人说。

“哪个是便衣儿？”有人问。

“就是那个戴草帽儿的呀！手里还拿着贼赃哪！说是一个小姑娘给点引的路才破了案……”

我慢慢躲进大门里，依在妈妈的身边，很想哭。

宋妈也抱着珠珠进来了，人们已经渐渐地散去，但还有的一直追下去看。妈妈说：

“小英子，看见这个坏人了没有？你不是喜欢作文章吗？将来你长大了，就把今天的事儿写一本书，说一说一个坏人怎么做了贼，又怎么落得这么个下场。”

“不！”我反抗妈妈这么教我！

我将来长大了是要写一本书的，但绝不是像妈妈说的这么写。我要写的是：

“我们看海去。”

老院门　尽管它破旧，但门面五官都一点没丢地保留着。“从早上吃完点心起，我就和二妹分站在大门口左右两边的门墩儿上……”——林海音《城南旧事》（摄于西松树胡同）

兰姨娘

一

从早上吃完点心起，我就和二妹分站在大门口左右两边的门墩儿上，等着看“出红差”的。这一阵子枪毙的人真多。除了土匪强盗以外，还有闹革命的男女学生。犯人还没出顺治门呢，这条大街上已经挤满了等着看热闹的人。

今天枪毙四个人，又是学生。学生和土匪同样是五花大绑坐在敞车上，但是他们的表情不同。要是土匪就热闹了，身上披着一道又一道从沿路绸缎庄要来的大红绸子，他们早喝醉了，嘴里喊着：

“过十八年又是一条好汉！”

“没关系，脑袋掉了碗大的疤瘌！”

“哥儿几个，给咱们来个好儿！”

看热闹的人跟着就应一声：

“好！”

是学生就不同了，他们总是低头不语，群众也起不了劲儿，只默默地拿可怜的眼光看他们。我看今天又是枪毙学生，就想起这几天妈妈的忧愁，她前天才对爸爸说：

“这些日子，风声不好，你还留德先在家里住，他总是半夜从外面慌慌张张地跑来，怪吓人的。”

爸爸不在乎，他伸长了脖子，用客家话反问了妈一句：

“惊么该？”

“别说咱们来往的客人多，就是自己家里的孩子、用人也不少，总不太好吧？”

爸爸还是瞧不起地说：

“你们女人懂什么？”

我站在门墩儿上，看着一车又一车要送去枪毙的人，都是背了手不说话的大学生，不知怎么，便把爸妈所谈的德先叔联想起来了。

德先叔是我们的同乡，在北京大学读书，住在沙滩附近的公寓里，去年开同乡会跟爸认识的。爸很喜欢他，当作自己的弟弟一样。他能喝酒，爱说话，和爸很合得来，两个人只要一碟花生米，一盘羊头肉，四两烧刀子，就能谈到半夜。妈妈常在背地里用闽南语骂这个一坐下就不起身的客人：“长屁股！”

半年以前的一天晚上，他慌慌张张地跑来我们家，跟爸用客家话谈着。总是为一件很要命的事吧，爸把他留在家里住了。从此他就在我们家神出鬼没的，爸却说他是一个了不起的新青年。

我是大姐，从我往下数，还有三个妹妹，一个弟弟，除了四妹还不会说话以外，我敢说我们几个人都不喜欢德先叔，因为他不理我们，这是第一个原因。还有就是他的脸太长，戴着大黑框眼镜，我不喜欢这种脸。再就是，他

阴阳瓦的老屋顶 凡北京古旧的四合院，屋顶最常见的便是这阴阳瓦，防寒防热，不漏雨，经年历代。倘落了草籽，不管是风吹来的，飞鸟衔掉的，还会长草。草在屋上，人在屋下，不是很好么。阴阳瓦形成的瓦陇深，阳光一照，屋顶产生一条条重的沟影，沉穆中又有涌动，是古城独有的景致（摄于西绒线胡同〔原绒线胡同〕）

来了，妈要倒霉，爸要妈添菜，还说妈烧不好客家菜，酿豆腐味儿淡啦！白斩鸡不够嫩啦！有一天妈高高兴兴烧了一道她自己的家乡菜，爸爸吃着明明是好，却对德先叔说：

“他们福佬人就知道烧五柳鱼！”

凭了这些，我也要站在妈妈这一头儿。德先叔每次来，我对他都冷冷的，故意做出看不起他的样子，其实他并不注意。

虽然这样，看着过出差的，心里竟不安起来，仿佛这些要枪毙的学生，跟德先叔有什么关系似的，还没等过完，我就跑回家里问妈：

“妈！德先叔这几天怎么没来？”

“谁知道他死到哪儿去了！”妈很轻松地回答。停一下，她又奇怪地问我：“你问他干吗？不来不是更好吗？”

“随便问问。”说完我就跑了，我仍跑回门外大街上去，刚才街上的景象全没有了。恢复了这条街每天上午的样子。卖切糕的，满身轻快地推着他的独轮车，上面是一块已经冷了的剩切糕，孤零零地插在一根竹签上。我的两个门牙刚掉，卖切糕问我买不买那块剩切糕，我摇摇头，他开玩笑说：

“对了，大小姐，你吃切糕不给钱，门牙都让人摘了去啦！”

我使劲闭着嘴瞪他。

到了黄昏，虎坊桥大街另是一种样子啦。对街新开了一家洋货店，门口坐满了晚饭后乘凉的大人小孩，正围着一个装了大喇叭的话匣子，放的是“百代公司特请谭鑫培老板唱《洪羊洞》”，唱片发出沙沙的声音，针头该换了。二妹说：“大姐，咱们过去等着听《洋大人笑》去。”

我们俩刚携起手跑，我又看见从对街那边，正有一队光头的人，向马路这边走来，他们穿着月白竹布褂，黑布鞋，是富连成科班要到广和楼去上夜戏。我对二妹说：

“看，什么来了！咱们还是回来数烂眼边儿吧！”

我和二妹回到自己家门口，各骑在一个门墩儿上，静等着，队伍过来了，打头领队的个子高大，后面就是由小到大排下去。对街《洋大人笑》开始了，在“哈哈哈”的伴奏中，我每看队伍里过一个红烂着眼睛的孩子，就大喊一声：

“烂眼边儿！”

二妹说：“一个！”

我再说：“烂眼边儿！”

二妹说：“两个！”

烂眼边儿，三个！烂眼边儿，四个！……今天共得十一个。富连成那些学戏的小孩子，比我们大不了多少，我们喊烂眼边儿，他们连头也不敢斜一斜，默默地向前

吕祖阁的筒瓦和吻兽 《燕都丛考》："翠花街之东与北新华街间之小胡同为翠花湾，为真武庙，为南所，为西夹道，为东夹道，为小大院，为横街。"（摄于吕祖阁西夹道，现明光胡同）

老戏楼的戏台和二层看台 "我又看见从对街那边，正有一队光头的人，向马路这边走来，他们穿着月白竹布衫，黑布鞋，是富连成科班要到广和楼去上夜戏。"——林海音《城南旧事》（摄于宣武后孙公园胡同安徽会馆戏楼旧址）

走，大褂的袖子，老长老长，走起路来，甩搭甩搭的，都像傻子。

我们正数得高兴，忽然一个人走近我的面前来，“嘿”的一声，吓我一跳，原来是施家的小哥，他也穿着月白竹布大褂。他很了不起地问我：

“英子，你爸妈在家吗？”

我点点头。

他朝门里走，我们也跟进去，问他什么事，他理也不理我们，我准知道他找爸妈有要紧的事。一进卧室的门，爸妈正在谈什么，看见小哥进来，他们仿佛愣了一下。小哥上前鞠躬，然后像背书一样地说：

“我爸叫我来跟林阿叔林阿婶说，如果我家兰姨娘来了，不要留她，因为我爸把她赶出去了。”

这时妈走到通澡房的门口，我听见里面有哗啦哗啦的水声。爸点点头说：

“好，好，回去告诉你爸爸，放心就是了。”

小哥又一深鞠躬告退，还是那么正正经经，看也不看我们一眼。小哥走后，爸爸窣窣地喝着香片茶，妈在点蚊香，两人都没说话。澡房的门打开了，呀！热气腾腾中，走出来的正是施家的兰姨娘！她是什么时候来的？她穿着一身外国麻纱的裤褂，走出来就平平衣襟，向后拢拢头发，笑眯眯地说：

“把在他们施家的一身晦气，都洗刷净啦！好痛快！”

妈说：

“小哥刚才来了，你知道吧？”

“怎么不知道！”兰姨娘眉毛一挑，冷笑说，“说什么？他爸把我赶出来了？怪不错的！我要走，大少奶奶还直说瞧她面子算了呢！这会儿又成了他赶我的喽！啧啧啧！”她的嘴直撇，然后又说，“别人留我不留，他也管得了？拦得住？——走，秀子，跟我到前院去，叫你们家宋妈给我煮碗面吃。”说着她就拉着二妹的手走出去了。爸爸一直微笑地看着兰姨娘，伸长了脖子，脚下还打着拍子。

妈脸上一点笑容都没有，兰姨娘出去了，她才站在桌子前，冲着爸的后背说：

“施大哥还特意打发小哥来说话，怎么办呢？”

“惊么该？”爸的脑袋挺着。

“怕什么？你总是招些惹事的人来！好容易这几天神出鬼没的德先没来，你又把人家下堂的姨太太留下了，施大哥知道了怎么说呢？”

“你平常跟她也不错，你好意思拒绝她吗？而且小哥迟来了一步，是她先进门的呀！”

这时候兰姨娘进来了，爸妈停止了争论，妈没好气地叫我：

“英子，到对门药铺给我买包豆蔻来，钱在抽屉里。”

（上）旧戏楼的天顶 京剧有闻名于时的四大须生，系指马连良、谭富英、杨宝森、奚啸伯，这四位在二十世纪三十年代之后成为老生演员的名角。还有四大名旦，系指二十年代先后成名的梅兰芳、程砚秋、荀慧生、尚小云四位京剧旦角演员，他们造诣精深，各成流派，享誉京城（摄于安徽会馆戏楼旧址）

（中）旧戏楼舞台的后台（摄于后孙公园〔安徽会馆旧址东侧〕）

（下）（德义号）洋货庄 字，虽经泥灰胶漆覆盖涂抹，今仍可辨认。涂抹也成了旧迹（摄于前门大江胡同〔原大蒋家胡同〕）

"林太太，你怎么，又胃疼啦？林先生，准又是你给气的吧？"兰姨娘说完笑嘻嘻的。

我从抽屉里拿了三大枚，心里想着：豆蔻嚼起来凉苏苏的，很有意思。兰姨娘在家里住下多么好！她可以常常带我到城南游艺园去，大戏场里是雪艳琴的《梅玉配》，文明戏场里是张笑影的《锯碗丁》，大鼓书场里是梳辫子的女人唱大鼓，还要吃小有天的冬菜包子。我一边跑出去，一边高兴地想，眼里满都是那锣鼓喧天的欢乐场面。

二

兰姨娘在我们家住了一个礼拜了，家里到处都是她的语声笑影。爸上班去了，妈到广安市场买菜去了，她跟宋妈也有说有笑的。她把施家老伯伯骂个够，先从施伯伯的老模样儿说起，再说他的吝啬，他的刻薄，他的不通人情，然后又小声和宋妈说些什么，她们笑得吱吱喳喳的，奶妈高兴得眼泪都挤出来了。

兰姨娘圆圆扁扁的脸儿，一排整整齐齐的白牙，我最喜欢她左边那颗镶金的牙，笑时左嘴角向上一斜，金牙就很合适地露出来。左嘴巴还有一处酒涡，随着笑声打漩儿。

她的麻花髻梳得比妈的元宝髻俏皮多了，看她把头发拧成两股，一来二去就盘成一个髻，一排茉莉花总是清幽幽、半弯身地卧在那髻旁。她一身轻俏，掖在右襟上的麻纱手绢，一朵白菊花似的贴在那里。跟兰姨娘坐一辆洋车上很舒服，她搂着我，连说："往里靠，往里靠。"不像妈，黑花丝葛的裙子里，年年都装着一个大肚子。跟妈坐一辆洋车，她的大肚子把我顶得不好受，她还直说："别挤我行不行！"现在妈又大肚子了。

有了兰姨娘，妈做家事倒也不寂寞，她跟妈有诉说不尽的心事，奶妈，张妈，都喜欢靠拢来听，我也"小鱼上大串儿"地挤在大人堆里，仰头望着兰姨娘那张有表情的脸。她问妈说：

"林太太，你生英子十几岁？"

"才十六岁。"妈说。

兰姨娘笑了：

"我开怀也只十六岁。"

"什么开怀？"我急着问。

"小孩子别乱插嘴！"妈叱责我，又向兰姨娘说，"当着孩子说话要小心，英子鬼着呢，会出去乱说。"

兰姨娘叹了口气：

"我十四岁从苏州被人带进了北京，十六岁那什么，四年见识了不少人，二十岁到底还是跟了施大这个老鬼，……"

临街铺面的楣额　是个什么店铺，弄不清了。砖雕的老字号，被抹上了白灰，那是文化专制时期留下的涂迹。专制家们，似乎是想掩盖过去不属于自己的悠长历史，可抹灰的本身，也成了不曾预料的抹不掉的一段称为浩劫的自己的历史。究竟谁浩劫了谁，没说。店铺，东邻四川饭店，西边，还有个“瑞宝银楼首饰老店”，几十年前就人去楼空，只剩下有檐板上的字号（摄于西绒线胡同〔原绒线胡同〕）

“施大哥今年到底高寿了？”妈打岔问。

“管他多大！六十，七十，八十，反正老了，老得很！”

“我记得他是六十——六十几来着？”妈还是追问。

“他呀，”兰姨娘噗哧笑了，看看我，“跟英子一般大，减去一个甲子，才八岁！”

“你倒也跟了他五年了，你今年不是二十五岁了么？”

“别看他六十八岁了，硬朗着呢！再过下去，我熬不过他，他们一家人对付我一个人，我还有几个五年好活！我不愿意把年轻的日子埋在他们家。可是，四海茫茫，我出来了，又该怎么样呢？我又没有亲人，苏州城里倒有一个三岁就把我卖了的亲娘，她住在哪条街上，我也记不得了呀！就记得那屋里有一盏油灯，照着躺在床上的哥哥，他病了，我娘坐在床边哭，应该就是为了这病哥哥才把我卖的吧！想起来梦似的，也不知道是我乱想的，还是真的……”

兰姨娘说着，眼里闪着泪光，是她不愿意哭出来吧，嘴上还勉强笑着。

妈不会说话，笨嘴拙舌的，也不劝劝兰姨娘。我想到去年七月半在北海看烧法船的时候，在人群里跟妈撒开了手，还急得大哭呢，一个人怎么能没有妈？三岁就没了妈，我也要哭了，我说：

“兰姨娘，就在我们家住下，我爸爸就爱留人住下，空房好儿间呢！”

“乖孩子，好心肠，明天书念好了当女校长去，别嫁人，天底下男人没好的！要是你爸妈愿意，我就跟你们家住一辈子，让我拜你妈当姐姐，问她愿意不愿意？”兰姨娘笑着说。

“妈愿意吧？”我真的问了。

“愿——意呀！”妈的声音好像在醋里泡过，怎么这么酸！

我可是很开心，如果兰姨娘能够好久好久地停留在我们家的话。她怎么也说我要当女校长呢？有一次，我站在对街的测字摊旁看热闹，测字的先生忽然从他的后领里抽出一把折扇，指着我对那些要算命的人说："看见没有？这个小姑娘赶明儿能当女校长，她的鼻子又高又直，主意大着呢！有男人气。"兰姨娘的话，测字先生的话，让人听了都舒服得很，使我觉得自己很了不起。

爸对兰姨娘也不错，那天我跟着爸妈到瑞蚨祥去买衣料，妈高高兴兴地为我和弟弟、妹妹们挑选了一些衣料之后，爸忽然对我说：

“英子，你再挑一件给你兰姨娘，你知道她喜欢什么颜色的吗？”

“知道知道，”我兴奋得很，“她喜欢一件蛋青色的印度绸，镶上一道黑边儿，再压一道白芽儿，……”我比手划

振亿木厂的砖雕字号 走在西草厂、梁家园、铁门、宏业里一带，眼睛不停地在上下搜索着胡同两边的旧屋老墙。当看到这残砖字号，如同捕捉了猎物一样兴奋，并引得这院的几位住户走出门与我们攀谈。其中一位正是这木厂厂主的后代。她告诉：除了字号，还有门联呢！由于年代久远门上的字迹模糊，随即主人在纸上写下：振作憁材南金东箭，亿兴百业输巧楼明（摄于宣武椿树铁门胡同〔原铁门。铁门槛并入〕7号）

挂招幌的勾架 老北京把商店的前门叫作“门脸儿”，也叫“铺面”。匾额必求书法名家书写，然后精雕细刻，重漆贴金，制成招牌，悬于门额，同时再挂上行业传统并为人所公认的招幌。此照为斜街最老的专卖烟袋的店铺，二层木楼，大概街正由此店而得名。至今门楣处留有“京师总商会”金属徽记，可见来历不浅。现招幌牌匾不复存，只有勾架仰空（摄于地安门烟袋斜街）

脚说得高兴，一回头看见坐在玻璃柜旁的妈，妈正皱着眉头在瞪我。伙计早把深深浅浅的绸子捧来好几匹，爸挑了一色最浅的，低声下气地递到妈面前说：

“你看看这料子还好吗？是真丝的吗？”

妈绷住脸，抓起那匹布的一端，大把的一攥，拳头紧紧的，像要把谁攥死。手松开来，那团绸子也慢慢散开，满是皱痕，妈说：

“你看好就买吧，我不懂！”

我也真不懂妈为什么忽然跟爸生气，直到有一天，在那云烟缭绕的鸦片烟香中，我才也闻出那味道的不对。

那个做九六公债的胡伯伯，常来我家打牌，他有一套烟具摆在我们家，爸爸有时也躺在那里陪胡伯伯玩两口。

兰姨娘很会烧烟，因为施伯伯也是抽大烟的。是要吃晚饭的时候了，爸和兰姨娘横躺在床上，面对面，枕着荷叶边的绣花枕头，上面是妈绣的拉锁牡丹花，中间那份烟具我很喜欢，像爸给我从日本带回来的一盒玩具。白铜烟盘里摆着小巧的烟灯，冒着青黄的火苗，兰姨娘用一根银签子从一个洋钱形的银盒里挑出一撮烟膏，在烟灯上烧得嗞嗞地响，然后把烟泡在她那红红的掌心上滚滚，就这么来回烧着滚着，烧好了插在烟枪上，把银签子抽出来，中间正是个小洞口。烟枪递给爸，爸噘着嘴，对着灯火窣窣地抽着。我坐在小板凳上看兰姨娘的手看愣了，那烧烟的手法，真是熟巧。忽然，在喷云吐雾里，兰姨娘的手，被爸一把捉住了，爸说：

“你这是朱砂手，可有福气呢！”

兰姨娘用另一只手把爸的手甩打了一下，抽回手去，笑瞪着爸爸：

“别胡闹！没看见孩子？”

爸也许真的忘记我在屋里了，他侧抬起头，冲我不自然地一笑，爸的那副嘴脸！我打了一个冷战，不知怎么，立刻想到妈。我站起来，掀起布帘子，走出卧室，往外院的厨房跑去，我不知道为什么要在这时候找母亲，跑到厨房，我喊了一声：“妈！”背手倚着门框。

妈站在大炉灶前，头上满是汗，脸通红，她的肚子太大了，向外挺着，挺得像要把肚子送给人！锅里油热了，冒着烟，她把菜倒在锅里，才回过头来不耐烦地问我：

“干么？”我回答不出，直着眼看妈的脸，她急了，又催我，“说话呀！”

我被逼得找话说，看她呱呱呱地用铲子敲着锅底，把炒熟的菜装在盘子里，那手法也是熟巧的，我只好说：

“我饿了，妈。”

妈完全不知道刚才的那一幕使我多么同情她，她只是骂我：

“你急什么？吃了要去赴死吗？”她扬起锅铲赶我：

屏门上的字：整齐 此院屏门残破，以铁管木条牢固，人出入通道的右手为“整齐”，左手为“严”，缺一个“肃”。就是这褪色残破的屏门，今日也绝难见到了（摄于宣武南柳巷胡同〔柳条胡同并入〕）

清华学堂 梅贻琦（一九三一年任清华大学校长）有名言：“所谓大学者，非谓有大楼之谓也，有大师之谓也。”（摄于清华大学）

临街的老店铺（摄于烟袋斜街24号）

“去去去，热得很，别在我这儿捣乱！”

在我的泪眼中，妈妈的形象模糊了，我终于“哇”地一声哭了出来。宋妈把我一把拉出了厨房，她说什么？“一点儿都不知道心疼你妈，看这么热天，这么大肚子！”

我听了跳起脚来哭。

兰姨娘也从里院跑出来了，她说：

“刚才不是还好好的吗？这会工夫怎么又捣乱捣到厨房来啦！”

妈说：

“去叫她爸爸来揍她！”

天快黑了，我被围在家中女人们的中间，她们越叫我吃饭，我越伤心；她们越说我不懂事，我越哭得厉害。

在杂乱中，我忽然看见一个白色的影子从我身旁擦过，是——是多日不见的德先叔，他连看都不看我一眼，直往里院走。看着他那轻飘飘白绸子长衫的背影，我咬起牙，恨一切在我眼前的人，包括德先叔在内。

三

第二天早晨，我是全家最迟起来的人，醒来我还闭着眼睛想，早点是不是应当继续绝食下去？昨天抽大烟闹朱砂手的事，给我的不安还没有解开，她使我想到几件事：我记得妈跟别人说过，爸爸在日本吃花酒，一家挨家，吃一整条街，从天黑吃到天亮，妈就在家里守到天亮，等着一个醉了的丈夫回来。我又记得我们住在城里时，每次到城南游艺园听夜戏回来，车子从胭脂胡同、韩家潭穿过时，宋妈总会把我从睡梦中推醒：“醒醒，醒醒，大小姐！看，多亮！”我睁开眼，原来正经过辉煌光亮的胡同，各家门前挂着围了小电灯扎彩的镜框，上面写着什么“弟弟”“黛玉”“绿琴”等等字样，奶妈跟我说过，兰姨娘没到施伯伯家以前，也是在这种地方住。她们是刮男人的钱、毁男人的家的坏东西！因为这样，所以一看到爸和兰姨娘那样的事，觉得使妈受了委屈，使我们都受了委屈。把原来喜欢兰姨娘的心，打了大大的折扣，我又恨，又怕。

我起床了，要到前院去，经过厢房时，一晃眼看见兰姨娘正在窗前的桌上摸骨牌，玩她的过五关斩六将，我装着没看见，直走过去，因为心中还恨恨的。

“英子！”兰姨娘隔着窗子在叫我。

我不得不进屋了，兰姨娘推开桌上的骨牌，站起来拉着我的手，温柔地说：

“看你这孩子，昨天一晚上把眼睛都哭肿了，饭也没吃。”她抚摩着我的头发，我绷着劲儿，一点笑容都没有。她又说：

中山公园格言亭 《北京传统文化便览》（陈文良主编）："格言亭位于北坛（社稷坛）门之北，是一座白色大理石圆形亭子，亭有八柱，每根柱上刻满古代名贤格言。"林海音先生曾长久保留着一张老照片，上写有"考上小学那天，与既叔及燕珠三妹到中央公园（即中山公园）格言亭前留影纪念（一九二五年）"不知是哪里出了误差，其背景非格言亭而是公园的另一碑亭。就让海音保存原来的记忆吧！不必唤醒，因为，美的记忆是不能用"对、错"来检验的。今摄格言亭，算是送给她的一张小画片，博她一乐（摄于中山公园）

“别难过，后天就是七月十五了，你要提什么样的莲花灯，兰姨娘给你买。”

我摇摇头，她又自管自地接着说：

“你不是说要特别花样的吗？我帮你做个西瓜灯，好哦？要把瓜吃空了，皮削脱，剩薄薄格一层瓤子，里面点上灯，透明格，蛮有趣。”

兰姨娘话说多了，就不由得带了她家乡的口音，轻轻软软，多么好听！我被她说得回心转意了，点点头。

她见我答应了也很高兴，忽然又闲话问我：

“昨天跟你爸瞎三话四，讲到半夜的那只四眼狗是什么人？”

“四眼狗？”我不懂。

兰姨娘淘气地笑了，她用手掌从脸上向下一抹，手指弯成两个圈，往眼睛上一比：

“喏！就是这个人呀！”

“啊——那是我德先叔。”

这时，不知是什么心情，忽然使我站在德先叔这一边了，我有意把德先叔叫得亲热些，并且说：

“他是很有学问的，所以要戴眼镜。他在北京大学念书，爸说，他是顶、顶、顶新的新青年，很了不起！”我挑着大拇指说，很有把兰姨娘卑贱的身份更压下去的意思。

“原来是大学生呀！”兰姨娘倒也缓和了，“那么就是你妈说过，常住在你们家躲风声的那个大学生喽？”

“是。”

“好，”兰姨娘点点头笑说，“你爸爸的心眼儿蛮好的，三六九等的人都留下了。”

我从兰姨娘的屋里出来，就不由得往前院德先叔住的南屋走去。我有权利去，因为南屋书桌抽屉里放着我的功课，我的小布人儿，我的《儿童世界》，德先叔正占用那书桌，我走进去就不客气地拉开书桌抽屉，翻这翻那，毫无目的。他被我在他身旁闹得低下头来看。我说：

“我的小刀呢？剪子呢？兰姨娘要给我做西瓜灯哪！”

“那个兰姨娘是你家什么人？我以前怎么没见过？”我多么高兴兰姨娘引起他的注意了。

“德先叔，你说那个兰姨娘好看不好看？”

“我不知道，我没看清楚。”

“她可看清楚你了，她说，你的眼睛很神气，戴着眼镜很有学问。”我想到“四眼狗”，简直不敢正眼朝他脸上看，只听见他说：

“哦？——哦？”

吃午饭的时候，德先叔的话更多了，他不那样旁若无人地总对爸一个人说话了，也不时转过头向兰姨娘表示征求意见的样子，但是兰姨娘只顾给我夹菜，根本不留神他。

品茗——茶坞木桌上的壶与杯 “从中山公园旁的冰窖门进去，便是柏斯馨、长美轩，春明馆这一带古松柏下的茶座了。上午游人很少，茶座没有完全摆出来，很清静。”——林海音《婚姻的故事》。我们没有赶上二三十年代在中山公园茶座上喝茶，那时——能望见鲁迅、钱玄同、马叙伦、傅斯年、胡适之等那些大师学者伏案写作，小饮交谈，能在投满大荫的古柏林下享受自然的清寂，能在自由而清逸中品出人性的情趣。今天，在这儿，拍下这壶与杯，是对大师“心向往之”（摄于中山公园四宜轩茶坊）

下午，我又溜到兰姨娘的屋里。我找个机会对兰姨娘说：

“德先叔夸你哩！”

“夸我？夸我什么呀？”

“我早上到书房去找剪刀，他跟我说：‘你那个兰姨娘，很不错呀！’”

“哟！”兰姨娘抿着嘴笑了，“他还说什么？”

“他说——他说，他说你像他的一个女同学。”我瞎说。

“那——人家是大学堂的，我怎么比得了！”

晚饭桌上，兰姨娘就笑眯眯的了，跟德先叔也搭搭话。爸更高兴，他说：

“我这个人就是喜欢帮助落难的朋友，别人不敢答应的事，我不怕！”说着，他就拍拍胸脯。爸酒喝得够多，眼睛都红了，笑嘻嘻乜斜着眼看兰姨娘。妈的脸色好难看，站起来去倒茶，我的心又冷又怕，好像和妈妈被丢在荒野里。

我整日守着兰姨娘，不让她有一点点机会跟爸单独在一起。德先叔这次住在我们家倒是很少出去，整天呆在屋里发愣，要不就在院子里晃来晃去的。

七月十五日的下午，兰姨娘的西瓜灯完成了。一吃过晚饭，天还没有黑，我就催着兰姨娘、宋妈，还有二妹，点上自己的灯到街上去，也逛别人的灯。临走的时候，我跑到德先叔的屋里，我说：

森森柏林，屯甲联云，峥嵘奇崛，旁若无人——此中山公园内千年柏树之伟状 中山公园（原中央公园）有古柏六百余株，大多百年之上。有七株异常粗壮，参天蔽日，郁郁悠悠，乃千年古木。最巨者，干围竟一丈九尺。据查，柏林曾是辽代陪都“南京”城（幽州）东北部兴国寺的寺址，柏为其遗物。“每天黄昏，公公都到中山公园柏树林下的春明茶馆，或到来今雨轩与老友聚晤，谈天下棋，吃一碗雪菜肉丝面，入夜才各自回家。”——夏祖丽《林海音传》

“我和兰姨娘去逛莲花灯，您去不去？我们在京华印书馆大楼底下等您！”说完我就跑了。

行人道上挤满了提灯和逛灯的人，我的西瓜灯很新鲜，很引人注意。但是不久我们就和宋妈、二妹她们走散了，我牵着兰姨娘的手，一直往西去，到了京华印书馆的楼前停下来，我假装找失散的宋妈她们，其实是在盼望德先叔。我在附近东张西望一阵没看见，失望地回到楼前来，谁知道德先叔已经来了，他正笑眯眯地跟兰姨娘点头，兰姨娘有点不好意思，也点头微笑着。德先叔说：

“密斯黄，对于民间风俗很有兴趣。”

兰姨娘仿佛很吃惊，不自然地说：

“那里，哄哄孩子！您，您怎么知道我姓黄？”

我想兰姨娘从来没有被人叫过“密斯黄”吧，我知道，人家没结过婚的女学生才叫“密斯”，兰姨娘倒也配！我不禁撇了一下嘴，心里真不服气，虽然我一心想把兰姨娘跟德先叔拉在一起。

“我听林太太讲起过，说密斯黄是一位很有志气的，敢向恶劣环境反抗的女性！”德先叔这么说就是了，我不信妈这样说过，妈根本不会说这样的话。

这一晚上，我提着灯，兰姨娘一手紧紧地按在我的肩头上，倒像是我在领着一个瞎子走夜路。我们一路慢慢走着，德先叔和兰姨娘中间隔着一个我，他们在低低地谈着，兰姨娘一笑就用小手绢捂着嘴。

第二天我再到德先叔屋里去，他跟我有的是话说了，他问我：

“你兰姨娘都看些什么书，你知道吗？”

“她正在看《二度梅》，你看过没有？”

德先叔难得向我笑笑，摇摇头，他从书堆里翻出一本书递给我说：“拿去给她看吧。”

我接过来一看，书面上印着：“易卜生戏剧集：傀儡家庭”。

第三天，我给他们传递了一次纸条。第四天我们三个人去看了一次电影，我看不懂，但是兰姨娘看了当时就哭得欷欷的，德先叔递给她手绢擦，那电影是李丽吉舒主演的《二孤女》。第五天我们走得更远，到了三贝子花园。

从三贝子花园回来，我兴奋得不得了，恨不得飞回家，飞到妈的身边告诉她：我在三贝子花园畅观楼里照哈哈镜玩时，怎样一回头看见兰姨娘和德先叔手拉手，那副肉麻相！而且我还要把全部告诉妈！但是回到家里，卧室的门关了，宋妈不许我进去，她说：

“你妈给你又生了小妹妹！”

直到第二天，我才溜进去看，小妹妹瘦得很，白苍苍的小手，像鸡爪子，可是那接生的产婆山田太太直夸赞，她来给妹妹洗澡，一打开小被包，露出妹妹的鸡爪子，她就用日本话拉长了声说：

“可爱イネ——！可爱イネ——！”（可爱呀！可爱呀！）

妈端着一碗香喷喷的鸡酒煮挂面，望着澡盆里的小肉体微笑着。她没注意我正在床前的小茶几旁打转。我很喜欢妈生小孩子。因为可以跟着揩油吃些什么，小茶几上总有鸡酒啦、奶粉啦、黑糖水啦，我无所不好。但是我今天更兴奋的是，心里搁着一件事，简直是非告诉她不可啦！

妈一眼看见我了：

“我好像好几天都没看见你了，你在忙什么呢？这么热的天，又野跑到哪儿去了？”

“我一直在家里，您不信问兰姨娘好了。”

“昨天呢？”

“昨天——”

我也学会了鬼鬼祟祟，挤到妈床前，小声说：“兰姨娘没告诉您吗？我们到三贝子花园去了。妈，收票的大高人，好像更高了，我们三个人还跟他合照了一张相呢，我只到那人这里，……”

“三个人？还有一个是谁？”

“您猜。”

“左不是你爸爸！”

“您猜错了，”看妈的一副苦相，我想笑，我不慌不忙地学着兰姨娘，用手掌从脸上向下一抹，然后用手指弯成

（上）这里太冷清了！ 北京古城真有几处清冷，几处音绝，几处“古调世间稀”。太庙柏林的静穆，陶然亭草庐碑亭的荒疏，玉渊潭凌水淹枝和钓台残雪的宁逸……，都不是一般人所能品味和领略的。“独钓寒江”，的确要的是一种大气魄大胸怀和大境界，而且，那已经不属于欣赏，属于身心皆在其中了（摄于海淀玉渊潭公园）

（中）时时在望中（摄于鼓楼赵府街）

（下）五福（蝠）临门 尽管临了一百多年，那门还是那个门，主人也换了几茬（摄于交道口北头条）

两个圈往眼睛上一比，我说：

“喏！就是这个人呀！”

妈皱起眉头在猜：

“这是谁？难道？难道是——”

“是德先叔。”我得意地摇晃着身体，并且拍拍我的新妹妹的小被包。

“真是？”妈的苦相没了，又换了一副急相，“到底是怎么回事？你说，你从头儿说。”

我从四眼狗讲到哈哈镜，妈听我说得出了神，她怀中的瘦鸡妹妹早就睡着了，她还在摇着。

“都是你一个人捣的鬼！”妈好像责备我，可是她笑得那么好看。

“妈，”我有好大的委屈，“您那天还要叫爸揍我呢！”

“对了，这些事你爸知道不？”

“要告诉他么？”

“这样也好。”妈没理我，她低头呆想什么，微笑着自言自语地说。然后她又好像想起了什么，抬起头来对我说：

“你那天说要买什么来着？”

“一副滚铁环，一双皮鞋，现在我还要加上订一整年的《儿童世界》。”我毫不迟疑地说。

四

爸正在院子里浇花，这是他每天的功课，下班回家后，他换了衣服，总要到花池子花盆前摆弄好一阵子。那几盆石榴，春天爸给施了肥，满院子麻渣臭味，到五月，火红的花朵开了，现在中秋了，肥硕的大石榴都裂开了嘴向爸笑！但是今天爸并不高兴，他站在花前发呆。我看爸瘦瘦高高，穿着白纺绸裤褂的身子，晃晃荡荡的，显得格外的寂寞，他从来没有这样过。

宋妈正在开饭，她一趟趟地往饭厅里运碗运盘，今天的菜很丰富，是给德先叔和兰姨娘送行。

我正在屋里写最后的大字。今年暑假过得很快乐，很新奇，可是暑假作业全丢下没有做，这个暑假没有人管我了。兰姨娘最初还催着我写九宫格，后来她只顾得看《傀儡家庭》了，就懒得理我的功课。九宫格里填满了我的潦草的墨迹，一张又一张的，我不像是学字；比鬼画符还难看。我从窗子正看到爸的白色的背影，不由得停下了笔，不知怎么，心里觉得很对不起爸。

我很纳闷儿，德先叔和兰姨娘是怎么跟爸提起他们要一起走的事呢？我昨天晚上要睡觉时一进屋，只听到爸对妈说：

“……我怎么一点儿都不知道？”

我不知道爸说的是什么事，所以起初没注意，一边换衣服一边想我自己的事：还有两天就开学了，明天可该把大字补写出来了，可是一张九个字，十张九十个字，四十张三百六十个字，让我怎么赶呀！还是求求兰姨娘给帮忙吧。这时我又听见妈说：

“这种事怎么能教你知道了去！哼！”妈冷笑了一下。

“那么你知道？”

“我？我也不知道呀！德先是怎么跟你提起的？”

“他先是说，这些日子风声又紧了，他必得离开北京，他打算先到天津看看，再坐船到上海去。随后他又说：‘我有一件事要告诉大哥的，密斯黄预备和我一起走。’……”我这时才明白是讲的什么事，好奇地仔细听下去。

“哼！你听德先讲了还不吃一惊！”妈说。

“惊么该！”爸不服气，“不过出乎意料就是了，你真一点都不知道，一点都没看出来？”

“我从哪儿知道呢？”妈简直瞎说！停了一下妈又说：“平常倒也仿佛看出有那么点儿意思。”

“那为什么不跟我说？”

“哟！跟你说，难道你还能拦住人家不成，我看他们这样很不错。”

“好固然好，可是我对于德先这种偷偷摸摸的行为不赞成。”

石板房 古城融合着西方的文化，包括建筑风格（摄于北极阁三条）

庭院中的石榴树 “……到五月，火红的花朵开了，现在中秋了，肥硕的大石榴都裂开了嘴向爸笑！”——林海音《城南旧事》。拍摄中，我有意加大了曝光时间，让阳光穿透石榴树的缝隙蔓延开来。石榴会笑，阳光也会笑，让它们的笑慰藉一下暮年伤感的庭院主人（摄于丰盛胡同〔原丰城胡同〕）

妈听了从鼻子里笑了一声，一回头看见了我，就骂我：

“小孩子听什么！还不睡去！”

爸坐在那儿，两腿交叠着，不住地摇，我真想上前告诉他，在三贝子花园门口合照的相，德先叔还在上面题了字：“相逢何必曾相识”，兰姨娘给我讲了好几遍呢！可是我怕说出来爸会骂我，打我。我默默地爬上床，躺下去，又听妈说：

“他们决定明天就走吗？那总得烧几样菜送送他们吧？”

“随便你吧！”

我再没听到什么了，心里只觉得舍不得兰姨娘，眼睛勉强睁开又闭上了。梦里还在写大字，兰姨娘按着我的右肩头，又仿佛是在逛灯的那晚上，我想举笔写字，她按得紧，抬不起手，怎么也写不成……

可是现在我正一张一张地写，终于在晚饭前写完了，我带着一嘴的黑胡子和黑手印上了饭桌，兰姨娘先笑了：

“你的大字倒刷好了？”

我今天挨着兰姨娘坐，心中真觉得舍不得，妈直让酒，向兰姨娘和德先叔说：

“你们俩一路顺风！”

爸不用人让，把自己灌得脸红红的，头上的青筋一条条像蚯蚓一样地暴露着，他举着酒杯伸出头，一直伸到兰姨娘的脸面，兰姨娘直朝后闪躲，嘴里说：

“林先生，你别再喝了，可喝不少了。”

爸忽然又直起身子来，做出老大哥的神气，醉言醉语地说：

“我这个人最肯帮朋友的忙，最喜欢成全朋友，是不是？德先，你可得好好待她哟！她就像我自家的妹子一样哟！”爸又转过头来向兰姨娘说：“要是他待你不好，你尽管回到我这里来。”兰姨娘娇羞地笑着，就仿佛她是十八岁的大姑娘刚出嫁。

宋妈在旁边伺候，也笑眯着，用很新鲜的眼光看兰姨娘。同时还把洒了双妹花露水的毛巾，一回又一回地送给爸爸擦脸。

马车早就叫来停在大门口了。我们是全家上下在门口送行的，连刚满月的小妹妹都抱出大门口见风了。

黄昏的虎坊桥大街很热闹，来来往往的，眼前都是人，也有邻居围在马车前等着看新鲜，宋妈早就告诉人家了吧！

兰姨娘换了一个人，她的油光刷亮的麻花髻没有了，现在头发剪的是华伦王子式！就跟我故事书里画的一样：一排头发齐齐地齐着眉毛，两边垂到耳朵边。身上穿的正是那件蛋青绸子旗袍，做成长身坎肩另接两只袖子样式的，脖子上围一条白纱，斜斜地系成一个大蝴蝶结，就跟在女高师念书的张家三姨打扮得一样样！

白塔寺 原名妙应寺。始建于（辽）寿昌二年（一〇九六年），（元）至元八年（一二七一年）重建（摄于白塔寺西夹道）

一段老围墙，正对着新华门（摄于西长安街）

她跟爸妈说了多少感谢的话，然后低下身来摸着我的脸说：

"英子，好好地念书，可别像上回那么招你妈生气了，上三年级可是大姑娘喽！"

我想哭，也想笑，不知什么滋味，看兰姨娘德先叔同进了马车，隔着窗子还跟我们招手。

那马车越走越远越快了，扬起一阵滚滚灰尘，就什么也看不清了。我仰头看爸爸，他用手摸着胸口，像妈每次生了气犯胃病那样，我心里只觉得有些对爸不起，更是同情。我轻轻推爸爸的大腿，问他：

"爸，你要吃豆蔻吗？我去给你买。"

他并没有听见，但冲那远远的烟尘摇摇头。

小板凳 人类在艰辛磨难中趋向成熟，将被感动的生活铭刻于心（摄于灵境胡同〔原灵济宫〕）

驴打滚儿

换绿盆儿的，用他的蓝布掸子的把儿，使劲敲着那个两面釉的大绿盆说：

“听听！您听听！什么声儿！哪找这绿盆儿去，赛江西瓷！您再添吧！”

妈妈用一堆报纸，三双旧皮鞋，两个破铁锅要换他的四只小板凳，一块洗衣服板；宋妈还要饶一个小小绿盆儿，留着拌黄瓜用。

我呢，抱着一个小板凳不放手。换绿盆儿的嚷着要妈妈再添东西。一件旧棉袄，两叠破书都加进去了，他还说：

“添吧，您。”

妈说：“不换了！”叫宋妈把东西搬进去，我着急买卖不能成交，凳子要交还他，谁知换绿盆儿的大声一喊：

“拿去吧！换啦！”他挥着手垂头丧气地说：“唉！谁让今儿个没开张哪！”

四个小板凳就摆在对门的大树荫底下，宋妈带着我们四个人——我，珠珠，弟弟，燕燕——坐在新板凳上讲故事。燕燕小，挤在宋妈的身边，半坐半靠着，吃她的手指头玩。

“你家小栓子多大了？”我问。

“跟你一般儿大，九岁喽！”

小栓子是宋妈的儿子。她这两天正给我们讲她老家的故事：地里的麦穗长啦，山坡的青草高啦，小栓子摘了狗尾巴花扎在牛犄角上啦。她手里还拿着一只厚厚的鞋底，用粗麻绳纳得密密的，是给小栓子做的。

“那么他也上三年级啦？”我问。

“乡下人有你这好命儿？他成年价给人看牛哪！”她说着停了手里的活儿，举起锥子在头发里划几下，自言自语地说，“今年个，可得回家看看了，心里老不顺序。”她说完愣愣的，不知在想什么。

“那么你家丫头子呢？”

其实丫头子的故事我早已经知道了，宋妈讲过好几遍。宋妈的丫头子和弟弟一样，今年也四岁了。她生了丫头子，才到城里来当奶妈，一下就到我们家，做了弟弟的奶妈。她的奶水好，弟弟吃得又白又胖。她的丫头子呢，就在她来我家试妥了工以后，让她的丈夫抱回乡下去给人家奶去了。我问一次，她讲一次，我也听不腻就是了。

“丫头子呀，她花钱给人家奶去啦！”宋妈说。

“将来还归不归你？”

“我的姑娘不归我？你归不归你妈？”她反问我。

“那你为什么不自己给奶？为什么到我家当奶妈？为什么你赚的钱又给了人家去？”

“为什么？为的是——说了你也不懂，俺们乡下人命苦呀！小栓子他爸爸没出息，动不动就打我，我一狠心就出来

平民之物 （摄于广宁伯街某院内）

起落的围墙，冬树和老屋 这景物平常，五十年前在北京随处可见。现在呢？您要寻找，在满目沙丘般楼厦的缝隙和背后去寻找，似乎有一种寻找水源绿洲的感觉（摄于西长安街贤效里〔原成公府夹道、贤孝里〕）

当奶妈自己赚钱！”

我还记得她刚来的那一天，是个冬天，她穿着大红棉袄，里子是白布的，油亮亮的很脏了。她把奶头塞到弟弟的嘴里，弟弟就咕嘟咕嘟地吸呀吸呀，吃了一大顿奶，立刻睡着了，过了很久才醒来，也不哭了。就这样留下她当奶妈的。

过了二天，她的丈夫来了，拉着一匹驴，拴在门前的树干上。他有一张大长脸，黄板儿牙，怎么这么难看！妈妈下工钱了，折子上写着：一个月四块钱，两副银首饰，四季衣裳，一床新铺盖，过一年零四个月才许回家去。

穿着红棉袄的宋妈，把她的小孩子包裹在一条旧花棉被里，交给她的丈夫。她送她的丈夫和孩子出来时，哭了，背转身去掀起衣襟在擦眼泪，半天抬不起头来。媒人店的老张劝宋妈说：

“别哭了，小心把奶憋回去。”

宋妈这才止住哭，她把钱算给老张，剩下的全给了她丈夫。她嘱咐她丈夫许多话，她的丈夫说：

“你放心吧。”

他就抱着孩子牵着驴，走远了。

到了一年四个月，黄板儿牙又来了，他要接宋妈回去，但是宋妈舍不得弟弟，妈妈又要生小孩，就把她留下了。宋妈的大洋钱，数了一大垛交给她丈夫，他把钱放进蓝布褡裢里，叮叮当当的，牵着驴又走了。

以后他就每年来两回，小叫驴拴在院子里墙犄角，弄得满地的驴粪球，好在就一天，他准走。随着驴背滚下来的是一个大麻袋，里面不是大花生，就是大醉枣，是他送给老爷和太太——我爸爸和妈妈。乡下有的是。

我简直想不出宋妈要是真的回她老家去，我们家会成什么样儿？谁给我老早起来梳辫子上学去？谁喂燕燕吃饭？弟弟挨爸爸打的时候谁来护着？珠珠拉了屎谁来给擦？我们都离不开她呀！

可是她常常要提回家去的话，她近来就问了我们好几次："我回俺们老家去好不好？"

"不许啦！"除了不会说话的燕燕以外，我们齐声反对。

春天弟弟出麻疹闹得很凶，他紧闭着嘴不肯喝那芦根汤，我们围着鼻子眼睛起满了红疹的弟弟。妈说：

"好，不吃药，就叫你奶妈回去！回去吧！宋妈！把衣服、玩意儿，都送给你们小栓子、小丫头子去！"

宋妈假装一边往外走一边说：

"走喽！回家喽！回家找俺们小栓子，小丫头子去哟！"

"我喝！我喝！不要走！"弟弟可怜巴巴地张开手，要过妈妈手里的那碗芦根汤，一口气喝下了大半碗。宋妈心疼得什么似的，立刻搂抱起弟弟，把头靠着弟弟滚烫的烂花脸儿说：

“不走！我不会走！我还是要俺们弟弟，不要小栓子，不要小丫头子！”跟着，她的眼圈可红了，弟弟在她的拍哄中渐渐睡着了。

前几天，一个管宋妈叫大婶儿的小伙子来了，他来住两天，想找活儿做。他会用铁丝给大门的电灯编灯罩儿，免得灯泡儿被贼偷走。宋妈问他说：

“你上京来的时候，看见我们小栓子好吧？”

“嗯。”他好像吃了一惊，瞪着眼珠，“我倒没看见，我是打刘村找舅舅那儿来的！”

“噢。”宋妈怀着心思地呆了一下，又问，“你打你舅舅那儿来的，那，俺们丫头子给刘村的金子他妈奶着，你可听说孩子结实吗？”

“哦？”他又是一惊，“没——没听说。准没错儿，放心吧！”

停一下他可又说：

“大婶儿，您要能回趟家看看也好，三四年没回去啦！”

等到这个小伙子走了，宋妈跟妈妈说，她听了她侄子的话，吞吞吐吐的，很不放心。

妈妈安慰她说：

“我看你这侄儿不正经，你听，他一会儿打你们家来，一会儿打他舅舅家来。他自己的话都对不上，怎么能知道你家孩子的事呢！”

宋妈还是不放心，她说：

“打今年个一开年，我心里就老不顺序，做了好几回梦啦！”

她叫了算命的给解梦。礼拜那天又叫我替她写信。她老家的地名我已经背下了：顺义县牛栏山冯村妥交冯大明吾夫平安家信。

“念书多好，看你九岁就会写信，出门丢不了啦！”

“信上说什么？”我拿着笔，铺一张信纸，逞起能来。

“你就写呀，家里大小可平安？小栓子到野地里放牛要小心，别尽顾得下水里玩，我给做好了两双鞋一套裤褂。丫头子那儿别忘了到时候送钱去！给人家多道道乏。拿回去的钱前后快二百块了，后坡的二分地该赎就赎回来，省得老种人家的地。还有，我这儿倒是平安，就是惦记着孩子，赶下个月要来的时候，把栓子带来我瞅瞅也安心。还有，……”

“这封信太长了！”我拦住她没完没了的话，“还是让爸爸写吧！”

爸爸给她写的信寄出去，宋妈这几天很高兴。现在，她问弟弟说：

“要是小栓子来，你的新板凳给不给他坐？”

“给呀！”弟弟说着立刻就站起来。

“我也给。”珠珠说。

“等小栓子来，跟我一块儿上附小念书好不好？”我说。

“那敢情好，只要你妈答应让他在这儿住着。”

“我去说！我妈妈很听我的话。”

“小栓子来了，你们可别笑他呀，英子，你可是顶能笑话人！他是乡下人，可土着呢！”宋妈说得仿佛小栓子等会儿就到似的。她又看看我说：

“英子，他准比你高，四年了，可得长多老高呀！”

宋妈高兴得抱起燕燕，放在她的膝盖上。膝盖头颠呀颠的，她唱起她的歌：

“鸡蛋鸡蛋壳壳儿，里头坐个哥哥儿，哥哥出来卖菜，里头坐个奶奶，奶奶出来烧香，里头坐个姑娘，姑娘出来点灯，烧了鼻子眼睛！”

她唱着，用手扳住燕燕的小手指，指着鼻子和眼睛，燕燕笑得咯咯的。

宋妈又唱那快板儿的：

“槐树槐，槐树槐，槐树底下搭戏台，人家姑娘都来到，就差我的姑娘还没来；说着说着就来了，骑着驴，打着伞，光着屁股挽着髻……”

太阳斜过来了，金黄的光从树叶缝里透过来，正照着

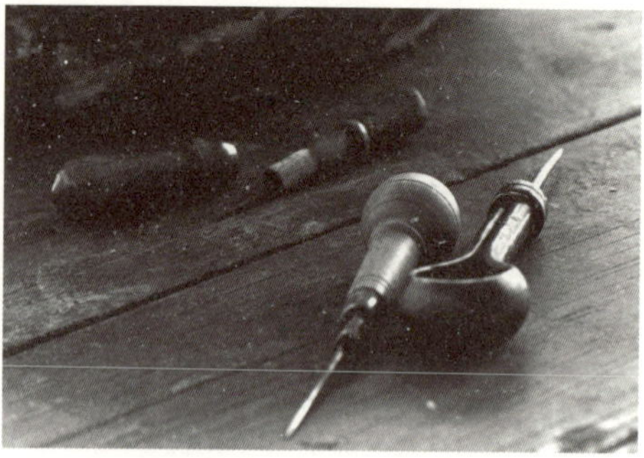

（上）锥子、针葫芦、笸箩 将普通平凡的事物，增加意义，也许这就是生活，就是生命

（中）院门口堆放的家什 谁家没有？水缸、咸菜酶子、砂锅、蒸锅……，这就是生活（摄于前章胡同〔原前张胡同〕）

（下）石基座和老缸，来历不浅 明清内官署管辖的惜薪司、内织染局、火药局、内教场、石作等，许多成了古城街巷的名称，大石作胡同即出于此（摄于大石作胡同）

我的眼，我随着宋妈的歌声，斜头躲过晃眼的太阳，忽然看见远远的胡同口外，一团黑在动着。我举起手遮住阳光仔细看，真是一匹小驴，得、得、得地走过来了。赶驴的人，蓝布的半截褂子上，蒙了一层黄土。哟！那不是黄板儿牙吗？我喊宋妈：

“你看，真有人骑驴来了！”

宋妈停止了歌声，转过头去呆呆地看。

黄板儿牙一声：“窝——哦！”小驴停在我们的面前。

宋妈不说话，也不站起来，刚才的笑容没有了，绷着脸，眼直直瞅着她的丈夫，仿佛等什么。

黄板儿牙也没说话，扑扑地掸打他的衣服，黄土都飞起来了。我看不起他！拿手捂着鼻子。他又摘下了草帽扇着，不知道跟谁说：

“好热呀！”

宋妈这才好像忍不住了，问说：

“孩子呢？”

“上——上他大妈家去了。”他又抬起脚来掸鞋，没看宋妈。他的白布的袜子都变黄了，那也是宋妈给做的。他的袜子像鞋一样，底子好几层，细针密线儿纳出来的。

我看着驴背上的大麻袋，不知道里面这回装的是什么。黄板儿牙把口袋拿下来解开了，从里面掏出一大捧烤得倍儿干的挂落枣给我，咬起来是脆的，味儿是辣的、香的。

“英子，你带珠珠上小红她们家玩去，挂落枣儿多拿点儿去，分给人家吃。”宋妈说。

我带着珠珠走了，回过头看，宋妈一手收拾起四个新板凳，一手抱燕燕，弟弟拉着她的衣角，他们正向家里走。黄板儿牙牵起小叫驴，走进我家门，他准又要住一夜。他的驴满地打滚儿，爸爸种的花草，又要被糟践了。

等我们从小红家回来，天都快黑了，挂落枣没吃几个，小红用细绳穿好全给我挂在脖子上了。

进门看见宋妈和她丈夫正在门道里。黄板儿牙坐在我们的新板凳上发呆，宋妈蒙着脸哭，不敢出声儿。

屋里已经摆上饭菜了。妈妈在喂燕燕吃饭，皱着眉，抿着嘴，又摇头又叹气，神气挺不对。

“妈，”我小声地叫，“宋妈哭呢！”

妈妈向我轻轻地摆手，禁止我说话。什么事情这样的重要？

“宋妈的小栓子已经死了，”妈妈沙着嗓子对我说，她又转向爸爸，“唉！已经死了一两年，到现在才说出来，怪不得宋妈这一阵子总是心不安，一定要叫她丈夫来问问。他侄子那次来，是话里有意思的。两件事一齐发作，叫人怎么受！”

爸爸也摇头叹息着，没有话可说。

我听了也很难过，不知道另外还有一件事是什么，又不敢问。

妈妈叫我去喊宋妈来，我也感觉是件严重的事，到门道里，不敢像每次那样大声吆喝她，我轻轻地喊：

“宋妈，妈叫你呢！”

宋妈很不容易地止住抽噎的哭声，到屋里来。妈对她说：

“你明天跟他回家去看看吧，你也好几年没回家了。”

“孩子都没了，我还回去干么？不回去了，死也不回去了！”宋妈红着眼狠狠地说，并且接过妈妈手中的汤匙喂燕燕，好像这样就表示她待定在我们家不走了。

“你家丫头子到底给了谁呢？能找回来吗？”

“好狠心呀！”宋妈恨得咬着牙，“那年抱回去，敢情还没出哈德门，他就把孩子给了人，他说没要人家钱，我就不信！”

“给了谁，有名有姓，就有地方找去。”

“说是给了一个赶马车的，公母俩四十岁了没儿没女，谁知道他说的是真话假话！”

“问清楚了找找也好。”

原来是这么一回事儿，宋妈成年跟我们念叨的小栓子和丫头子，这一下都没有了。年年宋妈都给他们两个做那么多衣服和鞋子，她的丈夫都送给了谁？旧花棉被里裹着的那个小婴孩，到了谁家了？我想问小栓子是怎么死的，可是看着宋妈的红肿的眼睛，就不敢问了。

“我看你还是回去。”妈妈又劝她，但是宋妈摇摇头，不说什么，尽管流泪。她一匙一匙地喂燕燕，燕燕也一口一口地吃，但两眼却盯着宋妈看。因为宋妈从来没有这个样子过。

宋妈照样地替我们四个人打水洗澡，每个人的脸上，脖子上扑上厚厚的痱子粉，照样把弟弟和燕燕送上了床。只是她今天没有心思再唱她的打火镰儿的歌儿了，光用扇子扑呀扑呀扇着他们睡了觉。一切都照常，不过她今天没有吃晚饭，把她的丈夫扔在门道儿里不理他。他呢，正用打火石打亮了火，巴达巴达地抽着旱烟袋。小驴大概饿了，它在地上卧着，忽然仰起脖子一声高叫，多么难听！黄板儿牙过去打开了一袋子干草，它看见吃的，一翻滚，站起来，小蹄子把爸爸种在花池子边的玉簪花又给踩倒了两三棵。驴子吃上干草了，鼻子一抽一抽的，大黄牙齿露着。怪不得，奶妈的丈夫像谁来着，原来是它！宋妈为什么嫁给黄板儿牙，这蠢驴！

第二天早上我起来，朝窗外看去，驴没了，地上留了一堆粪球，宋妈在打扫。她一抬头看见了我，招手叫我出去。

我跑出来，宋妈跟我说：

“英子，别乱跑，等会跟我出趟门，你识字，帮我找地方。”

竹车 大约许多人小的时候，在这样的竹车里，吃喝拉撒，被大人哄着，喂着，推着，后来也成了大人（摄于大石作胡同）

日月门神画像 一曰秦（琼）叔宝，二曰尉迟（恭）敬德（摄于东新开胡同）

无题 这里仍住着一些平民百姓，似乎也成了一条胡同，只是没有个名（摄于故宫东墙外）

半扇大门 （摄于桦皮厂胡同）

“到哪儿去？”我很奇怪。

“到哈德门那一带去找找——”说着她又哭了，低下头去，把驴粪撮进簸箕里，眼泪掉在那上面，“找丫头子。”

“好。”我答应着。

宋妈和我偷偷出去的，妈妈哄着弟弟他们在房里玩。出了门走不久，宋妈就后悔了：

“应当把弟弟带着，他回头看不见我准得哭，他一时一刻也没离开过我呀！”

就是为了这个，宋妈才一年年留在我家的，我这时仗着胆子问：

“小栓子怎么死的？宋妈。”

“我不是跟你说过，冯村的后坡下有条河吗？……”

“是呀，你说，叫小栓子放牛的时候要小心，不要净顾得玩水。”

“他掉在水里死的时候，还不会放牛呢，原来正是你妈妈生燕燕那一年。”

“那时候黄板——嗯，你的丈夫做什么去了？”

“他说他是上地里去了，他要不是上后坡草棚里耍钱去才怪呢！准是小栓子饿了一天找他要吃的去，给他轰出来了。不是上草棚，走不到后坡的河里去。”

“还有，你的丈夫为什么要把小丫头子送给人？”

“送了人不是更松心吗？反正是个姑娘不值钱。要不是小栓子死了！丫头子，我不要也罢。现在我就不能不找回她来，要花钱就花吧。”宋妈说。

我们从绒线胡同走，穿过兵部洼、中街、西交民巷，出东交民巷就是哈德门大街。我在路上忽然又想起一句话。

“宋妈，你到我们家来，丢了两个孩子不后悔吗？”

“我是后悔——后悔早该把俺们小栓子接进城来，跟你一块儿念书认字。”

“你要找到丫头子呢，回家吗？”

“嗯。”宋妈瞎答应着，她并没有听清我的话。

我们走到西交民巷的中国银行门口，宋妈在石阶上歇下来，过路来了一个卖吃的也停在这儿。他支起木架子把一个方木盘子摆上去，然后掀开那块盖布，在用黄色的面粉做一种吃的。

“宋妈，他在做什么？”

“啊？”宋妈正看着砖地在发愣，她抬起头来看看说，“那叫驴打滚儿。把黄米面蒸熟了，包黑糖，再在绿豆粉里滚一滚，挺香，你吃不吃？”

吃的东西起名叫“驴打滚儿”，很有意思，我哪有不吃的道理！我咽咽唾沫点点头，宋妈掏出钱来给我买了两个。她又多买了几个，小心地包在手绢里，我说：

“是买给丫头子的吗？”

随墙门门额的砖雕 上额三瓦当雕饰篆文：万物咸成、延年益寿、长乐未央；下额石雕为卐字和如意图案，寓万事如意；两侧蝙蝠衔着系带的双钱儿，寓福在眼前。我不大敢相信，那吉祥富贵的话语图纹会给住户人家带来什么福音。几百年了，现在过节，每家每户的门上仍贴上大金大红的“福”（摄于西长安街贤效里〔原成公府夹道、贤孝里〕）

出了东交民巷，看见了热闹的哈德门大街了，但是往哪边走？我们站在美国同仁医院的门口。宋妈的背，汗湿透了，她提起竹布褂的两肩头抖落着，一边东看看，西看看。

“走那边吧，”她指指斜对面，那里有一排不是楼房的店铺。走过了几家，果然看见一家马车行，里面很黑暗，门口有人闲坐着。宋妈问那人说：

“跟您打听打听，有个赶马车的老大哥，跟前有一个姑娘的，在您这儿吧？”

那人很奇怪地把宋妈和我上下看了看：

“你们是哪儿的？”

“有个老乡亲托我给他带个信儿。”

那人指着旁边的小胡同说：

“在家哪，胡同底那家就是。”

宋妈很兴奋，直向那人道谢，然后她拉着我的手向胡同里走去。这是一条死胡同，走到底，是个小黑门，门虽关着，一推就开了，院子里有两三个孩子在玩土。

“劳驾，找人哪！”宋妈大声喊。

其中一个小孩子就向着屋里高声喊了好几声：

“姥姥，有人找。”

屋里出来了一位老太太，她耳朵聋，大概眼睛也快瞎了，竟没有看见我们站在门口，孩子们说话她也听不见，直到他们用手指着我们，她才向门口走来。宋妈大声地喊：

“您这院里住几家子呀？”

“啊啊就一家。”老太太用手罩着耳朵才听见。

“您可有个姑娘呀？”

“有呀，你要找孩子他妈呀？”她指着二个男孩了。

宋妈摇摇头，知道完全不对头了，没等老太太说完就说：

“找错人了！”

我们从哈德门里走到哈德门外，一共看见了三家马车行，都问得人家直摇头。我们就只好照着原路又走回来，宋妈在路上一句话也不说，半天才想起什么来，对我说：

“英子，你走累了吧？咱们坐车好不？”

我摇摇头，仰头看宋妈，她用手使劲捏着两眉间的肉，闭上眼，有点站不稳，好像要昏倒的样子。她又问我：

“饿了吧？”说着就把手巾包打开，拿出一个刚才买的驴打滚儿来，上面的绿豆粉已经被黄米面溶湿了。我嘴里念了一声：“驴打滚儿！”接过来，放在嘴里。

我对宋妈说：

“我知道为什么叫驴打滚儿了，你家的驴在地上打个滚起来，屁股底下总有这么一堆。”我提起一个给她看，“像驴粪球不？”

皇宫边上的住宅区 要拆除了，平民要离开了。这是二〇〇三年四月的事。“我们的新居却给了我很新鲜的感觉；它位于紫禁城边，是离旧皇宫最近的地方。紫禁城在有皇帝的时代，老百姓是要止步的，但是民国以来皇宫开放后，它便是最理想的住宅区了。我们家的东面是中山公园，北面是北海之路，向西去便是中南海。”——林海音《婚姻的故事》(摄于南长街养廉胡同〔老爷庙后巷并入〕)

我是想逗宋妈笑的，但是她不笑，只说：

“吃罢！”

半个月过去，宋妈说，她跑遍了北京城的马车行，也没有一点点丫头的影子。

树荫底下听不见冯村后坡上小栓子放牛的故事了；看不见宋妈手里那一双双厚鞋底了；也不请爸爸给写平安家信了。她总是把手上的银镯子转来转去地呆看着，没有一句话。

冬天又来了，黄板儿牙又来了，宋妈把他撂在下房里一整天，也不跟他说话。这是下雪的晚上，我们吃过晚饭挤在窗前看院子。宋妈把院子的电灯捻开，灯光照在白雪上，又平又亮。天空还在不断地落着雪，一层层铺上去。宋妈喂燕燕吃冻柿子，我念着国文上的那课叫作“下雪”的：

一片一片又一片，

两片三片四五片，

六片七片八九片，

飞入芦花都不见。

老师说，这是一个不会做诗的皇帝做的诗，最后一句还是他的臣子给接上去的。但是念起来很顺嘴，很好听。

妈妈在灯下做燕燕的红缎子棉袄，棉花撕得小小的、薄薄的，一层层地铺上去。妈妈说：

（上）护墙石（摄于香炉营东巷与香炉营四条的岔口）

（中）无题（摄于东栓〔原东拴马桩〕胡同）

（下）寺呢？ 此地原称福祥寺胡同，以有其寺庙而名。后来，不单是称呼上去了“寺”字，真寺也荡然无存。据一九二九年调查，北平城郊佛寺共1033所，现在不知所剩几多（摄于福祥胡同）

朱彝尊“古藤书屋”的最后片瓦 康熙十八年（一六七九年）以布衣之身被选进翰林院编修《明史》的朱彝尊（浙江嘉兴人），后谪居宣武门外海波寺街，院内有紫藤两株，故寓所取名“古藤书屋”，并从事了《日下旧闻》的查访和编著。二年后，撰写刊印，此书，成为记载古城历史的重要文献。朱彝尊与林海音，两故居近几咫尺，前者，正在拆除，后者，面目皆非。夜色降临，我们记录了最后的残片——古干低垂，瓦草飘零，以示纪奠。其他已故的不少学者、作家等诸大师们的故居书屋，同它们差不多，都在悄无声息地伴着我悄无声息的悲哀消逝了。也许，这消逝，正是敦促我们再去看他们的书，“得其神，忘其形”吧（摄于宣武海柏胡同〔原海北（波）寺街。澧阳馆夹道并八〕16号）

“把你当家的叫来，信是我请老爷偷着写的，你跟他回去吧，明年生了儿子再回这儿来。是儿不死，是财不散，小栓子和丫头子，活该命里都不归你，有什么办法！你不能打这儿起就不生养了！”

宋妈一声不言语，妈妈又问：

“你瞧怎么样？”

宋妈这才说：

“也好，我回家跟他算账去！”

爸爸和妈妈都笑了。

“这几个孩子呢？”宋妈说。

“你还怕我亏待了他们吗？”妈妈笑着说。

宋妈看着我说：

“你念书大了，可别欺侮弟弟呀！别净给他跟你爸爸告状，他小。”

弟弟已经倒在椅子上睡着了，他现在很淘气，常常爬到桌子上翻我的书包。

宋妈把弟弟抱到床上去，她轻轻给弟弟脱鞋，怕惊醒了他。她叹口气说：“明天早上看不见我，不定怎么闹。”她又对妈妈说：“这孩子脾气犟，叫老爷别动不动就打他；燕燕这两天有点咳嗽，您还是拿鸭儿梨炖冰糖给她吃；英子的毛窝我带回去做，有人上京就给捎了来；珠珠的袜子都该补了。还有……我看我还是……唉！”宋妈的话没有

落寂（摄于石青厂胡同顺德馆夹道）

雪天，可以令人咀嚼无色界的滋味（摄于花园宫东巷）

护城河一带的老桥桩 桥桩是木头的，尽管知道它要被长年水流浸泡冲刷。当初建造时，人们那么精心，用结实的整根圆木，几百根一齐上，结构合理，质材密集，横的、直的、斜的，交错穿插；上上下下左左右右的一道又一道的铁箍圈和数不清的螺钉，证明人当时不敢稍有一点省工省力之嫌。……这木桥经了岁月，经了风雨，经了无数人的走来踏去，仍然健在！我拍它的时候仍健在。前几年，上面有话，给拆了，弄了个水泥的。牢固可能牢固吧，但也缺少了这木桩林立的景致（摄于西便门甘雨桥）

说完，就不说了。

妈妈把折子拿出来，叫爸爸念着，算了许多这钱那钱给她；她毫不在乎地接过钱，数也不数，笑得很惨：

“说走就走了！”

“早点睡觉吧，明天你还得起早。”妈妈说。

宋妈打开门看看天说：

“那年个，上京来的那天也是下着鹅毛大雪，一晃儿，四年了。”

她的那件红棉袄，也早就拆了，旧棉花换了榧子儿，泡了梳头用，面子和里子给小栓子纳鞋底用了。

“妈，宋妈回去还来不来了？”我躺在床上问妈妈。

妈妈摆手叫我小声点儿，她怕我吵醒了弟弟，她轻轻地对我说：

“英子，她现在回去，也许到明年的下雪天又来了，抱着一个新的娃娃。”

“那时候她还要给我们家当奶妈吧？那您也再生一个小妹妹。”

“小孩子胡说！”妈妈摆着正经脸骂我。

“明天早上谁给我梳辫子？”我的头发又黄又短，很难梳，每天早上总是跳脚催着宋妈，她就要骂我：“催惯了，赶明儿要上花轿了也这么催，多寒蠢！”

“明天早点儿起来，还可以赶着让宋妈给你梳了辫子再走。”妈妈说。

天刚蒙蒙亮，我就醒了，听见窗外沙沙的声音，我忽然想起一件事，赶快起床下地跑到窗边向外看，雪停了，干树枝上挂着雪，小驴拴在树干上，它一动弹，树枝上的雪就抖落下来，掉在驴背上。

我轻轻地穿上衣服出去，到下房找宋妈，她看我这样早起来吓一跳。我说：

“宋妈，给我梳辫子。”

她今天特别的和气，不唠叨我了。

小驴儿吃好了早点，黄板儿牙把它牵到大门口，被褥一条条地搭在驴背上，好像一张沙发椅那么厚，骑上去一定很舒服。

宋妈打点好了，她把一条毛线大围巾包住头，再在脖子上绕两绕。她跟我说：

“我不叫醒你妈了，稀饭在火上炖着呢！英子，好好念书，你是大姐，要有个大姐样儿。”说完她就盘腿坐在驴背上，那姿势真叫绝！

黄板儿牙拍了一下驴屁股，小驴儿朝前走，在厚厚雪地上印下一个个清楚的蹄印儿。黄板儿牙在后面跟着驴跑，嘴里喊着：“得、得、得、得。”

驴脖子上套了一串小铃铛，在雪后新清的空气里，响得真好听。

老树干和教堂天顶的十字架 教堂北边的整片老屋都拆光了，残瓦遍地，只剩有几株半枯的老椿树依然挺立，枝丫上竟还长出椿芽椿叶，香气四溢，但原先闻香椿叶的百姓们不知已分遣到何方了。教堂称南堂，位于宣武门内顺城街，由意大利传教士利玛窦始建经堂于此。清顺治七年（一六五〇年），德国传教士汤若望在其旧址改建大堂，名“无玷始胎圣母堂”。附近还建有司铎的住宅和天文台、藏书楼、仪器室等（摄于宣武门内顺城街）

爸爸的花儿落了

新建的大礼堂里，坐满了人；我们毕业生坐在前八排，我又是坐在最前一排的中间位子上。我的襟上有一朵粉红色的夹竹桃，是临来时妈妈从院子里摘下来给我别上的，她说：

"夹竹桃是你爸爸种的，戴着它，就像爸爸看见你上台一样！"

爸爸病倒了，他住在医院里不能来。

昨天我去看爸爸，他的喉咙肿胀着，声音是低哑的。我告诉爸，行毕业典礼的时候，我代表全体同学领毕业证书，并且致谢词。我问爸，能不能起来，参加我的毕业典礼？六年前他参加了我们学校的那次欢送毕业同学同乐会时，曾经要我好好用功，六年后也代表同学领毕业证书和致谢词。今天，"六年后"到了，老师真的选了我做这件事。

爸爸哑着嗓子，拉起我的手笑笑说：

“我怎么能够去？”

但是我说：

“爸爸，你不去，我很害怕，你在台底下，我上台说话就不发慌了。”

爸爸说：

“英子，不要怕，无论什么困难的事，只要硬着头皮去做，就闯过去了。”

“那么爸不也可以硬着头皮从床上起来，到我们学校去吗？”

爸爸看着我，摇摇头，不说话了。他把脸转向墙那边，举起他的手，看那上面的指甲。然后，他又转过脸来叮嘱我：

“明天要早起，收拾好就到学校去，这是你在小学的最后一天了，可不能迟到啊！”

“我知道，爸爸。”

“没有爸爸，你更要自己管自己，并且管弟弟和妹妹，你已经大了，是不是，英子？”

“是。”我虽然这么答应了，但是觉得爸爸讲的话很使我不舒服，自从六年前的那一次，我何曾再迟到过？

当我上一年级的时候，就有早晨赖在床上不起床的毛病。每天早晨醒来，看到阳光照到玻璃窗上了，我的心里

阳光 夏日的阳光，抱住了银杏树，有拱门的老屋坐落远处，它望着，似乎守护着什么。这是基督教公理会贝满女中旧址（摄于灯市口大街）

棋院旧址 旧时京城，上至王公贵戚，下至百姓贩夫，皆喜下象棋，茶棚棋馆遍布城中各角落，尤以天桥一带最为集中（摄于西旧帘子胡同）

就是一阵愁：已经这么晚了，等起来，洗脸，扎辫子，换制服，再到学校去，准又是一进教室被罚站在门边，同学们的眼光，会一个个向你投过来，我虽然很懒惰，可也知道害羞呀！所以又愁又怕，每天都是怀着恐惧的心情，奔向学校去。最糟的是爸爸不许小孩子上学坐车的，他不管你晚不晚。

有一天，下大雨，我醒来就知道不早了，因为爸爸已经在吃早点。我听着，望着大雨，心里愁得不得了。我上学不但要晚了，而且要被妈妈打扮得穿上肥大的夹袄（是在夏天！），和踢拖着不合脚的油鞋，举着一把大油纸伞，走向学校去！想到这么不舒服地上学，我竟有勇气赖在床上不起来了。

等一下，妈妈进来了。她看见我还没有起床，吓了一跳，催促着我，但是我皱紧了眉头，低声向妈哀求说：

“妈，今天晚了，我就不去上学了吧？”

妈妈就是做不了爸爸的主意，当她转身出去，爸爸就进来了。他瘦瘦高高的，站在床前来，瞪着我：

“怎么还不起来，快起！快起！”

“晚了！爸！”我硬着头皮说。

“晚了也得去，怎么可以逃学！起！”

一个字的命令最可怕，但是我怎么啦！居然有勇气不挪窝。

爸气极了，一把把我从床上拖起来，我的眼泪就流出来了。爸左看右看，结果从桌上抄起鸡毛掸子倒转来拿，藤鞭子在空中一抡，就发出咻咻声音，我挨打了！

爸把我从床头打到床角，从床上打到床下，外面的雨声混合着我的哭声。我哭号，躲避，最后还是冒着大雨上学去了。我是一只狼狈的小狗，被宋妈抱上了洋车——第一次花五大枚坐车去上学。

我坐在放下雨篷的洋车里，一边抽抽搭搭地哭着，一边撩起裤脚来检查我的伤痕。那一条条鼓起的鞭痕，是红的，而且发着热。我把裤脚向下拉了拉，遮盖住最下面的一条伤痕，我怕同学耻笑我。

虽然迟到了，但是老师并没有罚我站，这是因为下雨天可以原谅的缘故。

老师教我们先静默再读书。坐直身子，手背在身后，闭上眼睛，静静地想五分钟。老师说：想想看，你是不是听爸妈和老师的话？昨天的功课有没有做好？今天的功课全带来了吗？早晨跟爸妈有礼貌地告别了吗？……我听到这儿，鼻子抽搭了一大下，幸好我的眼睛是闭着的，泪水不至于流出来。

正在静默的当中，我的肩头被拍了一下，急忙地睁开了眼，原来是老师站在我的位子边。他用眼势告诉我，教

东交民巷外国银行旧址 “东交民巷代称使馆界。当时布局是：街南自西而东依次为美国兵营、美国使馆、荷兰使馆、花旗银行、东方汇理银行、汇丰银行、德国使馆、怡和洋行、比国使馆、德国兵营；街北自西向东依次为法国医院、麦加得银行、俄国兵营、日本正金银行、西班牙使馆、日本使馆、法国使馆、天主堂、德华银行、德国兵营、美国同仁医院。”（陈文良《北京传统文化便览》）

我向教室的窗外看去，我猛一转头看，是爸爸那瘦高的影子！

我刚安静下来的心又害怕起来了！爸为什么追到学校来？爸爸点头示意招我出去。我看看老师，征求他的同意，老师也微笑地点点头，表示答应我出去。

我走出了教室，站在爸面前。爸没说什么，打开了手中的包袱，拿出来的是我的花夹袄。他递给我，看着我穿上，又拿出两个铜子儿来给我。

后来怎么样了，我已经不记得，因为那是六年以前的事了。只记得，从那以后，到今天，每天早晨我都是等待着校工开大铁栅校门的学生之一。冬天的清晨站在校门前，戴着露出五个手指头的那种手套，举了一块热乎乎的烤白薯在吃着。夏天的早晨站在校门前，手里举着从花池里摘下的玉簪花，送给亲爱的韩老师，她教我唱歌跳舞。

啊！这样的早晨，一年年都过去了，今天是我最后一天在这学校里啦！

当当当，钟响了，毕业典礼就要开始。看外面的天，有点阴，我忽然想，爸爸会不会忽然从床上起来，给我送来花夹袄？我又想，爸爸的病几时才能好？妈妈今早的眼睛为什么红肿着？院里大盆的石榴和夹竹桃今年爸爸都没有给上麻渣，他为了叔叔给日本人害死，急得吐血了，到了五月节，石榴花没有开得那么红、那么大。如果秋天来了，爸还要买那样多的菊花，摆满在我们的院子里、廊檐下、客厅的花架上吗？

爸是多么喜欢花。

每天他下班回来，我们在门口等他，他把草帽推到头后面抱起弟弟，经过自来水龙头，拿起灌满了水的喷水壶，唱着歌儿走到后院来。他回家来的第一件事就是浇花。那时太阳快要下去了，院子里吹着凉爽的风，爸爸摘下一朵茉莉插到瘦鸡妹妹的头发上。陈家的伯伯对爸爸说："老林，你这样喜欢花，所以你太太生了一堆女儿！"我有四个妹妹，只有两个弟弟，我才十二岁……

我为什么总想到这些呢？韩主任已经上台了，他很正经地说：

"各位同学都毕业了，就要离开上了六年的小学到中学去读书，做了中学生就不是小孩子了，当你们回到小学来看老师的时候，我一定高兴看你们都长高了，长大了……"

于是我唱了五年的骊歌，现在轮到同学们唱给我们送别：

"长亭外，古道边，芳草碧连天……问君此去几时来，来时莫徘徊！天之涯，地之角，知交半零落，人生难得是欢聚，惟有别离多……"

我哭了，我们毕业生都哭了。我们是多么喜欢长高了

《燕都丛考》:“二条胡同，郭筱麓之蛰园在焉。”（摄于东四二条与三条的贯通巷）

日本人以前开设的诊疗所 （摄于西打磨厂胡同）

变成大人，我们又是多么怕呢！当我们回到小学来的时候，无论长得多么高，多么大，老师！你们要永远拿我当个孩子呀！

做大人，常常有人要我做大人。

宋妈临回她的老家的时候说：

“英子，你大了，可不能跟弟弟再吵嘴！他还小。”

兰姨娘跟着那个四眼狗上马车的时候说：

“英子，你大了，可不能招你妈妈生气了！”

蹲在草地里的那个人说：

“等到你小学毕业了，长大了，我们看海去。”

虽然，这些人都随着我长大没了影子了，是跟着我失去的童年也一块儿失去了吗？

爸爸也不拿我当孩子了，他说：

“英子，去把这些钱寄给在日本读书的陈叔叔。”

“爸爸！——”

“不要怕，英子，你要学做许多事，将来好帮着你妈妈。你最大。”

于是他数了钱，告诉我怎样到东交民巷的正金银行去寄这笔钱——到最里面的台子上去要一张寄款单，填上“金柒拾圆也”，写上日本横滨的地址，交给柜台里的小日本儿！

我虽然很害怕，但是也得硬着头皮去。——这是爸爸

原日本正金银行旧址 “我心情紧张地手里捏紧一卷钞票到银行去。等到从最高台阶的正金银行出来，看着东交民巷街道中的花圃种满了蒲公英，我高兴地想：闯过来了，……”——林海音《城南旧事》（摄于东交民巷与正义路的拐口）

说的，无论什么困难的事，只要硬着头皮去做，就闯过去了。

“闯练，闯练，英子。”我临去时爸爸还这样叮嘱我。

我心情紧张地手里捏紧一卷钞票到银行去。等到从最高台阶的正金银行出来，看着东交民巷街道中的花圃种满了蒲公英，我高兴地想：闯过来了，快回家去，告诉爸爸，并且要他明天在花池里也种满了蒲公英。

快回家去！快回家去！拿着刚发下来的小学毕业文凭——红丝带子系着的白纸筒，催着自己，我好像怕赶不上什么事情似的，为什么呀？

进了家门，静悄悄的，四个妹妹和两个弟弟都坐在院子里的小板凳上，他们在玩沙土，旁边的夹竹桃不知什么时候垂下了好几枝子，散散落落的很不像样，是因为爸爸今年没有收拾它们——修剪、捆扎和施肥。

石榴树大盆底下也有几粒没有长成的小石榴；我很生气，问妹妹们：

“是谁把爸爸的石榴摘下来的？我要告诉爸爸去！”

妹妹们惊奇地睁大了眼，她们摇摇头说：“是它们自己掉下来的。”

我捡起小青石榴。缺了一根手指头的厨子老高从外面进来了，他说：

积雪的灯伞 一个灯伞，洋式的，旧的。雪，积在它上面。石额上还有什么“办事处”字样，现在是个邮电局（摄于西交民巷）

一段老围墙，正对着新华门（摄于西长安街）

“大小姐，别说什么告诉你爸爸了，你妈妈刚从医院来了电话，叫你赶快去，你爸爸已经……”

他为什么不说下去了？我忽然着急起来，大声喊着说：

“你说什么？老高。”

“大小姐，到了医院，好好儿劝劝你妈，这里就数你大了！就数你大了！”

瘦鸡妹妹还在抢燕燕的小玩意儿，弟弟把沙土灌进玻璃瓶里。是的，这里就数我大了，我是小小的大人。我对老高说：

“老高，我知道是什么事了，我就去医院。”我从来没有过这样的镇定，这样的安静。

我把小学毕业文凭，放到书桌的抽屉里，再出来，老高已经替我雇好了到医院的车子。走过院子，看那垂落的夹竹桃。我默念着：

爸爸的花儿落了。

我也不再是小孩子。

后记

我曾写过一篇题名“忆儿时”的小稿，现在把它抄录在下面：

我的兴趣很广泛，也很平凡。我喜欢热闹怕寂寞，从小就爱往人群里钻。

记得小时在北平的夏天晚上，搬个小板凳挤在大人群里听鬼故事，越听越怕，越怕越听。猛一回头，看见黑黝黝的夹竹桃花盆里，小猫正在捉壁虎，不禁吓得呀呀乱叫。但是把板凳往前挪挪，仍是怂恿大人讲下去。

在我七八岁的时候，北平有一种穿街绕巷的“唱话匣子的”，给我很深刻的印象。也是在夏季，每天晚饭后，抹抹嘴急忙跑到大门外去张望。先是卖晚香玉的来了；用晚香玉串成美丽的大花篮，一根长竹竿上挂着五六只，妇女们喜欢买来挂在卧室里，晚上满室生香。再过一会儿，“换电灯泡儿的”又过来了。他背着匣子，里面全是新新旧旧的灯泡，贴几个钱，拿家里断了丝的跟他换新的。到今天我还不明白，他拿了旧灯泡去做什么用。然后，我最盼望的“唱话匣子的”来了，看见那人背着“话匣子”（后来改叫留声机，现在要说电唱机了），提着胜利公司商标上那个狗听留声机的那种大喇叭。我就飞跑进家，一定要求母亲叫他进来。母亲被搅不过，总会依了我。只要母亲一答应，我又拔脚飞跑出去，还没跑出大门就大声喊：

“唱话匣子的！别走！别走！”

其实那个唱话匣子的看见我跑进家去，当然就会在门口等着，不得到结果，他是不会走掉的。讲价钱的时候，门口围上一群街坊的小孩和老妈子。讲好价钱进来，围着的人就会挨挨蹭蹭地跟进来，北平话叫作“听蹭儿”。我有时大大方方地全让他们进来；有时讨厌哪一个便推他出去，把大门砰的一关，好不威风！

唱话匣子的人，把那大喇叭按在匣子上，然后装上百代公司的唱片。片子转动了，先是那两句开场白：“百代公司特请梅兰芳老板唱《宇宙锋》”，金刚钻的针头在早该退休的唱片上摩擦出吱吱扭扭的声音，嗞嗞啦啦地唱起来了；有时像猫叫，有时像破锣。如果碰

简朴的四合院灰砖房 不管它坐落哪里，你会读出住在里面的人那沉静、舒心而专注的工作和研究，你会读出那活泼认真的生活。环境雅洁——居人安宁（摄于北新华街）

门联：长处于世，须尊所闻 四合院之院门，门板上常有门联雕刻，常见“忠厚传家，诗书继世”“风云变态，花草精神”“善为至宝，德作良谋”……（摄于惜水胡同〔原苦水井〕）

到新到的唱片，还要加价呢！不过因为熟主顾，最后总会饶上一片“洋人大笑”，还没唱呢，大家就笑起来了，等到真正洋人大笑时，大伙儿更笑得凶，闹哄哄地演出了皆大欢喜的“大团圆”结局。

母亲时代的儿童教育和我们现代不同，比如妈妈那时候交给老妈子一块钱（多么有用的一块钱！），叫她带我们小孩子到“城南游艺园”去，就可以消磨一整天和一整晚。没有人说这是不合理的。因为那时候的母亲并不注重“不要带儿童到公共场所”的教条。

那时候的老妈子也真够厉害，进了游艺园就得由她安排，她爱听张笑影的文明戏《锯碗丁》《春阿氏》，我就不能到大戏场里听雪艳琴的《梅玉配》。后来去熟了，胆子也大了，便找个题目——要两大枚（两个铜板）上厕所，溜出来到各处乱闯。看穿燕尾服的变戏法儿；看扎着长辫子的姑娘唱大鼓；看露天电影郑小秋的《空谷兰》。大戏场里，男女分座（包厢例外），有时候观众在给“扔手巾把儿的”叫好，摆瓜子碟儿的，卖玉兰花儿的，卖糖果的，要茶钱的，穿来穿去，吵吵闹闹，有时或许赶上一位发脾气的观众老爷飞茶壶。戏台上这边贴着戏报子，那边贴着“奉厅谕：禁止怪声叫好”的大字，但是看了反而使人嗓子眼儿痒痒，非喊两声“好”不过瘾。

正等待着爱花养花的主人 靠栏的扫把，是刚刚把有绿苔的青砖地面收拾干净而停歇一会儿，收拾的当儿，还特意留下从砖缝钻出的小草小叶；正是清明，庭院的石槽，瓦盆已拌好肥土，准备迎候着花籽或老根——是文竹？绣球？海棠？还是牵牛花？……种什么呢？（摄于北新华街）

鼓形的花盆　我们无从问出，是什么时候先人留下的。只能责怪自己，先人在，而自己还没有真正长大，缺少一种体贴的追问。隶书的刻字还清晰，是“寒枝历岁寒”，植什么才合了这句子？腊梅么？盆边，瓦钉剥损了，地上，散散落落，还是去年花的残蒂败叶。花开花落，爱花的人呢？（摄于北新华街）

> 大戏总是最后散场，已经夜半，雇洋车回家，刚上车就睡着了。我不明白那时候的大人是什么心理，已经十二点多了，还不许人家睡，坐在她们（母亲或者老妈子）的身上，打着瞌睡，她们却时时摇动你说："别睡！快到家了！"后来我问母亲，为什么不许困得要命的小孩睡觉？母亲说，一则怕着凉，再则怕睡得魂儿回不了家。
>
> 多少年后，城南游艺园改建成屠宰场，偶然从那里经过，便不胜今昔之感。这并非是眷恋昔日的热闹的生活，那时的社会习俗并不值得一提，只是因为那些事情都是在童年经历的。那是真正的欢乐，无忧无虑，不折不扣的欢乐。

我记得写上面这段小文的时候，便曾想：为了回忆童年，使之永恒，我何不写些故事，以我的童年为背景呢！于是这几年来，我陆续地完成了本书的这几篇。这些故事不一定是真的，但写着它们的时候，人物却不断地涌现在我的眼前，斜着嘴笑的兰姨娘，骑着小驴回老家的宋妈，不理我们小孩子的德先叔叔，椿树胡同的疯女人，井边的小伴侣，藏在草堆里的小偷儿。读者有没有注意，每一段故事的结尾，里面的主角都是离我而去，一直到最后的一篇《爸爸的花儿落了》，亲爱的爸爸也去了，我的童年结束了。那时我十三岁，开始负起了不是小孩子所该负的责任。如果说一个人一生要分几个段落的话，父亲的死，是我生命中一个重要的段落，我在父亲节写过一篇《我父》，仍是值得存录在这里的：

写纪念父亲文章，要回忆许多童年的事情，因为父亲死去快二十年了，他弃我们姐弟七人而去的时候，我还是个小女孩。在我写文多年间，从来没有一篇是专为父亲而写的，因为我知道如果写到父亲，总不免要触及他离开我们过早的悲痛记忆。

虽然我和父亲相处的年代，远比不了和一个朋友更长久；况且那些年代对于我，又都是属于童年的，但我对于父亲的了解和认识极深。他溺爱我，也鞭策我，更有过一些多么不合理的事情表现他的专制，但是我也得原谅他与日俱增的坏脾气，是因为他日渐衰弱的肺病身体。

父亲实在不应当这样早早离开人世。他是一个对工作认真努力，对生活有浓厚兴趣的人，他的生活多么丰富！他生性爱动，几乎无所不好，好像世间有多少做不完的事情，等待他来动手，我想他对死是不甘心的。但是促成他的早死，多种的嗜好也有关系，他爱喝酒，快乐地划着拳；他爱打牌，到了周末，我们

“苔痕上阶绿，草色入帘青” ——刘禹锡《陋室铭》（摄于前海北沿某院）

什么是花荫凉，这就是花荫凉 （摄于西直门东大街）

家总是高朋满座。他是聪明的，什么都下功夫研究。他肺病以后，对于医药也很有研究，家里有一个五斗柜的抽屉，就跟个小药房似的。但是这种饮酒熬夜的生活，足以破坏任何医药的功效。我听母亲说，父亲在日本做生意的时候，常到酒妓馆林立的街坊，从黑夜饮到天明，一夜之间喝遍一条街，他太任性了！

母亲的生产率够高，平均三年生两个，有人说我们姐妹多是因为父亲爱花的缘故，这不过是迷信中的巧合，但父亲爱花是真的。我有一个很明显的记忆，便是父亲常和挑担卖花的讲价钱，最后总是把整担的花全买下。于是父亲动手了，我们也兴奋地忙起来，廊檐下大大小小花盆里栽的花，父亲好像特别喜欢文竹、含羞草、海棠、绣球和菊花。到了秋天，廊下客厅，摆满了秋菊。

花事最盛是当我们的家住在虎坊桥的时候，院子里有几大盆出色的夹竹桃和石榴，都是经过父亲用心培植的。每年他都亲自给石榴树下麻渣，要臭好几天，但是等到中秋节，结的大石榴都饱满得裂开了嘴！父亲死后的第一年，石榴没结好；第二年，死去好几棵。喜欢附会迷信的人便说，它们随父亲俱去。其实，明明是我们对于剪枝施肥，没尽到像父亲那样勤劳的缘故。

父亲的脾气尽管有时暴躁，他却有更多的优点，他负责任地工作，努力求生存，热心助人，不吝金钱。

我们每一个孩子他都疼爱，我常常想，既然如此，他就应该好好保重自己的身体，使生命得以延长，看子女茁长成人，该是最快乐的事。但是好动的父亲，却不肯好好地养病。他既死不瞑目，我们也因为父亲的死，童年美梦，顿然破碎。

在别人还需要照管的年龄，我已经负起许多父亲的责任。我们努力渡过难关，羞于向人伸出求援的手。每一个进步，都靠自己的力量，我以受人怜悯为耻。我也不喜欢受人恩惠，因为报答是负担。父亲的死，给我造成这一串倔强，细细想来，这些性格又何尝不是承受于我那好强的父亲呢！

童年在北平的那段生活，多半居住在城之南——旧日京华的所在地。父亲好动到爱搬家，绿衣的邮差是报告哪里有好房的主要人物。我们住过的椿树胡同、新帘子胡同、虎坊桥、梁家园，尽是城南风光。

收集在这里的几篇故事，在时间上有点连贯性，读者们别问我是真是假，我只要读者分享我一点缅怀童年的心情。每个人的童年不都是这样的愚騃而神圣吗？

林海音

一九六〇年七月

收拾残片——
陪海音先生再走城南

缘　起

大概是今年二月底，北京的古干虬枝还黑褐光秃，接到了香港三联书店执行总编辑李昕的电话，约我为“插图本《城南旧事》”一书的出版提供一百三十至一百五十幅摄影作品。我猜想，导致这约稿的原因，可能是自己的两个摄影集子《旧京残片》（人民美术出版社）、《老舍的北京》（三联书店［香港］有限公司）得到了他及一部分读者的在意。

我满怀感激。感激那在意背后的信任与厚爱。究其实，我心里清楚，许多片子，倘用专业摄影的通用标准衡量，都存有或多或少的缺憾；只不过，记录古城的历史气息和品位，承载着摄影者本人的所思所想，而正是通过这种方式的创作，他才得以重新体验生活的深沉与清醒，渐渐靠近，靠近那些我们不可缺少的智慧和不可缺少的真理。

海音先生已于前年冬天长逝台北。但我，愿意“陪海音先生再走城南”，操起相机，再去收拾古城的残片。殊不知，这次的残片，几乎是在瓦砾中收拾了。

困 境

读《城南旧事》，弄清一点海音先生早年北京生活的地方；读夏祖丽《从城南走来——林海音传》，弄清那些地方经过半个多世纪岁月的消损，更或是人为地漠视，大都面目皆非，有的竟被夷为平地。这景况，海音先生及她的后代在寻根之旅中亲眼见了，拍下了不多的旧居旧址，并在旧居旧址前合影留念，那时他们的心情如何？“一言难尽”。小说《城南旧事》的环境，早已消失得无踪迹了。

我还能做些什么？还能提供什么，来对林先生这部著作于画面上有所补益？极有见识的学者赵园也为我担心：“老城已拆成这样子，你还能拍么？”

困境，困惑。后来，我给自己找个宽解：“先走出去再说。”也许，行动开始，随之可以寻个缺口，为想法带来一点光明。

启 蒙

清寒烟雨。我绕过林立的大楼大厦，深入其背后的平民住宅区。旧的，半新不旧的院落围墙，高高低低，曲曲折折，半隐半显，宁静极了。正被圈起的施工区，里面却有几座老屋的废墟，那颓壁竟是磨砖对缝相当考究。你只要驻足，只要注目，不难体会那一砖一石中潜藏着工匠们用心用力的行业品行，甚至你由解读那一砖一石，便能想象出当时一道接一道工序中绝无半分敷衍的认真情景……

说通门房，又进了一所颇有来历的学校旧址，登上木阁楼，打量着那幽长的甬道，挂牌的教室和年久光润的扶梯。我明白，它们曾是学童学子得以滋润熏陶的乐土……

一天过去，又是一天。我不知不觉踩着瓦砾，串入了拆迁的小胡同，见到门牌和砖雕被摘走，只剩下光秃的院门和废弃的水缸菜酶。屋瓦上，几丛枯草轻轻摇曳。拆了一半的老房断面，那支撑了百年的粗拙栋梁终于裸露，噢，栋梁原是轻易不会被人看出的。我自语着。庭院没了，两个门墩却还死死地守在当初的位置上，不肯离去。

碰上了几户人家。整条胡同都快拆光了，只有他们还没有搬走，正等待着什么。“我们，我们再不能，回到这儿了。”老人一边诉说，一边用手抠着门前大槐躯干上的泥斑，不知是哪个淘气的小孩拽上去的……

一下子，那语气，那眼神，那手抠的动作，以至周围的空气，连同几天来我所见所感的平凡微末，不得不让自己发问：这一切难道不正是对林海音先生笔下关注命运的作品的画面注释么？这一切难道不正是小英子亲切、好奇、自由、活泼的天性所要寻找的东西么？这一切，难道不正是留给海音和更多人永远回忆的古城世界么？

何必在故居旧址门牌的对证上计较和纠缠，何必在绝对的过去与现在的时差上计较和纠缠。断木斜柯、残墙颓壁、盘根错节，江淹过后不更是大风景大气象吗？与海音先生一起，我们寻找的是对生命的感动，是我们认定的那种真实，那种本质。思涌中，又让我联想起《列子》中的九方皋相马，这位伯乐大师的弟子，不为马的皮色和牡牝所干扰，得其精，忘其粗，得其意，忘其形，得其神，忘其骸，直取其“行千里”之质，只看他所想看的，而不看他根本就不想看的。

不断困惑，也不断悟解，与古代先哲的智慧相遇，得以解放般的助力和佐证。一种思维上的特殊收获，一种穿洞见天的强烈感受，一种劳作的由衷快乐，就是它们，搅动着我，在古城停停走走，走走停停，开始了这次《城南旧事》的拍摄。

互　动

在停和走的过程中，收拾残片。大柯的几根垂落枝条，瓦陇中存留的枯叶，临街老店被涂盖的字号，半扇院门的插闩，还有屋顶上闲置的花盆，巴在皇城墙上的冬雪，被踩成凹状的门槛……请原谅，用镜头收拾这些残片，早已成为我难改的偏爱，成为我认定的世界和意义。几乎全部以残片充满画面，也成了这次插图的基本特点。

我读过这样的句子：“艺术家的手，可以说动手就是为了收集这些东西，把这些东西从遗弃、破损、撕裂、从人的脚印和时间的脚印下解救出来。”（雅克·杜班语）“我们应该不懈地使公众习惯于认为，有成千上万的事物值得归于艺术，也就是归于人的范畴。有许多事物，无论乍一看显得如何微不足道，只要置于正确的视角下，就会变得比所有那些通常认为是重要的事物远远伟大得多，更值得尊重。”（安东尼·塔皮埃斯语）大师的原语告诉我，自身的艺术经历告诉我，微末的残片可以诞生出伟大的气息——不在于它是什么，而在于我们看出了什么；不在于它在哪里，而在于我们把它引向哪里。只要它们在我们的内心深处，唤起了一种真切强烈的感觉，成为一段我们自身的历史，成为一个路标，并经由我们的想象，创造出一种伟大的气息，一种气局，一种气象，也就达到了那文学的、自由的、人性的崇高境界。

这里，强调了“想象”。没有想象，我不知如何摄影，即使那摄影是所谓最逼真不过的记录；没有想象，我不知如何阅读文字和画面。而真正的阅读，是从被关注对象的命运和性情中，审视起阅读者自身的命运和性情，从对个体事物的观察和理解中，贯通到对普遍整体事物的观察和理解。

是这样么？我只是在现实与想象的互动中，寻到了一些生活的线索。当我透过相机镜头，对日下的残片经凝视给以一瞬的曝光，一瞬的记录，布莱克的诗也在耳边同时响起：

“一粒沙子一个世界／一朵小花一座天堂／无穷无尽在你的手掌上／永恒，就在那一瞬里收藏。”

不 死

在胡同中奔走，在瓦砾中奔走。不远处，有轻缓的声音吸引了我：“小耗子，上灯台，偷油吃，下不来。吱吱吱，叫奶奶……小耗子，上灯台……”回头一看，分明见一个女子抱着个周岁不到的婴儿在院门前，边哼哼着这传了几百年的儿歌，边走着绺儿。这不是《城南旧事》里宋妈哄着小英子姐妹唱那“鸡蛋鸡蛋壳壳儿”的情景么？我停下来，望着那被抱的半躺的婴儿——刚满周岁，真不大。“他听得懂那儿歌么？”我再问自己。我自己儿时，父母为我哼哼儿歌讲故事，我当时懂么？知道吗？不懂不知道又怕什么。那时婴孩在大人的怀抱里，在大人的双膝下，在无限温暖的呵护里，在有节奏有韵脚的美妙声音里，享受着安宁和舒适，享受着可以笑，可以哭，可以看，可以想，可以猜，可以睡，没有什么不可以的无拘无束的自由。几十年过去了，海音先生笔下的形象，非但没有死，而且依然活着，就在我们的眼前活着，活得那么生动和鲜明！绝不止是在记忆里。

奔走中，我望见了荒庙空地边正在往麻袋里塞破烂的乡人，过街桥上半跛半瘫的乞丐，斑驳的墙上，留着小孩了用滑石或粉笔涂画着各种各样猜不透的记号，墙头冒出院里的枣树枝和扫房用的长掸子……时不时竟还有豪华的轿车从我身边猛然而过，溅起水洼的水，扬起土砾的尘。……

望见他们，我近乎真切地望见了鲁迅笔下、老舍笔下乃至一切精神大师笔下的人物形象和围绕在人物旁边所有的形象，并透过这些形象而感受其心魂，他们都在世上活着，大师用作品启示我们，在直面人生中不沉沦于骄横、诡计和谎言，以独立的精神和自由的思想做今天的事情。不死的文学，不死的艺术。

收拾残片，为酝酿出的一些弥久而常新的观念和情感而喜悦，这不是因为别的，它，将影响我们未来的行为。

致 谢

感谢李昕先生和三联书店编辑、设计人员对本书插图作品给予的精心关照。

感谢中国现代文学馆馆长舒乙先生，在我拍摄古城残片的工作中给予的鼓励和帮助。

感谢我的姐姐和我的妻儿，他们给予了我特别的温暖和爱护。

尤要感谢我的助手高萍小姐。在SARS病毒肆虐京城的严峻时刻，她毅然陪同我拍摄，分担着摄影器材的重负，帮我询问、记录、描画、查证路线，助我整理出全部图片和文字。没有她，我的这次拍摄工作是难以想象的。

最后，要感谢的，将是读者给予插图画面的批评和指正。

沈继光

二〇〇三年五月二十日

于北京地藏庵

残片不在，记忆失了根壤

二〇〇三年，李昕先生约我为作家林海音《城南旧事》拍摄影像用以配图，于是有了之前那个图文本。十年后的今天，再版这本书时，上次拍摄所拾遗的古城残片，已经消逝殆尽，连在“瓦砾中行走寻觅”的可能都没了。

残片不在，记忆失了根基和土壤。因为，记忆或回忆、念旧与凭吊、历史和历史感，大概是需要提供一些实在、细微、确切的线索的，哪怕几片斑驳的大砖老瓦，几根废墟上的石柱，甚或只是原有书刊上的老照片。

是啊，幸好有九十年代冯克力等有见识的一群人出版了《老照片》。照片本身就是物证呀！将上百年的几乎被一手遮蔽封死的历史大屋，捅出了几个窟窿，露出几束天光，中国人才稍微看清了曾经发生在我们身边的人与事。

几千年历史文化生活，代代人们的积攒，有了这块称为“中国”的土壤根基。我想问一下：我们将来的文明该有怎样的品质，将来的生活该有怎样的方式，倘不向我们的土壤根基处借鉴寻找，还能去哪里借鉴寻找呢？倘若我们铲了、毁了、抹干净了那些旧迹，没有了过去真实的历

瓦砾中寻觅

记忆……

史，现在就是空的了，未来就真的只是一个梦。

感谢李昕先生十年前的远见，让那一批邂逅《城南旧事》的摄影作品得以创作并留了下来。

沈继光

二〇一三年十二月十六日

于复兴门外地藏庵